Abels, Ludwig W.

Alt-Wien

die Geschichte seiner Kunst

Abels, Ludwig W.

Alt-Wien

die Geschichte seiner Kunst

Inktank publishing, 2018

www.inktank-publishing.com

ISBN/EAN: 9783747798522

All rights reserved

ALT-WIEN

DIE GESCHICHTE SEINER KUNST

VON

LUDWIG W. ABELS

MIT 4 HELIOGRAVÜREN UND 36 VOLLBILDERN

MARQUARDT & CO.
VERLAGSANSTALT G. M. B. H.
BERLIN

MEINER LIEBEN MUTTER

WIDME ICH DIESES BUCH

INHALTSVERZEICHNIS

I. TEIL: WIENS GROSSE ZEIT
1700—1800

II. TEIL: ONKEL BIEDERMEIER
1800—1850

I. TEIL

WIENS GROSSE ZEIT

1700—1800

I. KAPITEL

EINLEITUNG UND HISTORISCHER ÜBERBLICK

DER heutigen Generation von Alt-Wien erzählen bedeutet fast, eine in's Meer versunkene Stadt aus Erinnerung und Phantasie wieder aufzubauen. Wohl stehen noch viele der prächtigsten und markantesten Bauten aus acht vergangenen Jahrhunderten. Aber ihre Umgebung ist verändert, die Größenverhältnisse sind verschoben, die Gruppierung und die Veduten sind zerstört: das Gesamtbild der Stadt ist ein total anderes. Man kann den Wienern der Gegenwart den Vorwurf nicht ersparen, daß sie allzu willig und oft ohne das volle Verständnis für die historisch gewordene Schönheit jeglichem Regulierungsplan Raum gegeben haben, auch wo es nicht durch sanitäre oder Verkehrserfordernisse geboten war. So wurde das reizvolle alte Bild des Hohen Marktes und des Mehlmarktes, — der heute stolz

„Neuer Markt" genannt wird — fast ganz zerstört; der Platz „Am Hof" ist jetzt an der Reihe, bald werden noch andere Opfer einer unverständigen Neuerungssucht, die intimen Schönheiten des idyllischen Heiligenkreuzerhofes, des Franziskanerplatzes, die Prachtbauten der Wipplinger Straße folgen. Das alte Wien, wie es aus den noch vorhandenen schönen Resten, aus alten Plänen, Bildern und Schilderungen sich vor dem inneren Auge aufstellt, war ein individuelles Kunstwerk, etwa wie es Nürnberg oder Venedig heute noch sind. Und wenn man ein altes Meisterwerk, einen Dürer oder Peter Vischer, andächtig konserviert, so sollte man wohl auch dem kunstvollen alten Stadtbilde gegenüber nicht gar zu dünkelhaft auf die eigenen neuesten Errungenschaften technischer Art pochen. Es wäre Raum genug vorhanden, nach Süd- und Nordost die Wohnstätten und Industrieanlagen Wiens auszudehnen, so wie man in Nürnberg, mit Wahrung des alten Stadtteiles, die neue Stadt jenseits der Wälle aufbaute. Gerade an den Ufern des großen Donaustromes, die bisher noch in ländlicher Unberührtheit schlummern, lockt ein weites Gebiet die moderne Welt zu kühnen technischen Leistungen. — Es ist über dieses leider sehr aktuelle Thema in den letzten Monaten viel Tinte verspritzt worden; nutzlos, weil die Zerstörer den höheren Wert des in der Vorzeit Geschaffenen nicht kennen. Sie darüber zu belehren, den rasch und oberflächlich Urteilenden Geschmack und Verständnis für die Werke der inniger und ehrlicher empfindenden Vorfahren beizubringen, ist in unserer Epoche eine wichtige Aufgabe des Kunsthistorikers.

* * *

Das alte Wien war an dem südlichen rechten Ufer des kleineren Donau-Armes, der heute als Donaukanal den ersten Bezirk „Innere Stadt" vom zweiten „Leopoldstadt" scheidet, allmählich aufgebaut worden. Hier soll jedoch nicht die Entstehung der Stadt ab ovo dargestellt werden; von den Fischer-Ansiedlungen, dem römischen Kastell, den Klosterbauten der Passauer Bischöfe, der Entstehung der Herzogsburg ist oft genug erzählt worden. Meine Aufgabe ist, jenes Alt-Wien zu schildern, das heute wieder aus einem sehnsüchtigen Trieb heraus Mode geworden ist, die schlichte, gemütvolle Welt unserer Urgroßväter. Diese Epoche bereitete sich vor in der großen, politisch und künstlerisch bedeutenden Regierungszeit Karls VI. und der Maria Theresia, im 18. Jahrhundert, und endete ungefähr mit dem Revolutionsjahr 1848. In diesem knappen Rahmen ist fast alles zusammengefaßt, was unser Wien als wundervoll eigenartige, trotz mancher Rückständigkeiten geistig und künstlerisch regsame Stadt erscheinen läßt, was heute noch in der Heimat und in der Fremde an ihm gerühmt wird. Wir sehen in diesem Zeitraum entstehen, was in den Palästen, Parks, Landhäusern, in den besten Gemälden eines Lampi, Füger, Waldmüller, Danhauser, Schwind, den Miniaturen von Daffinger, Theer, Saar, Peter, Wigand, in den Lithographien von Kriehuber und Prinzhofer, ebenso wie in den Dichtungen von Grillparzer, Raimund, Lenau, in den Tonschöpfungen von Haydn, Mozart, Beethoven, Schubert und in der altberühmten Wiener Schauspielkunst noch heute das Publikum entzückt.

Alles das sind Qualitäten, die an sich schon ein umfangreicheres Sonderwerk vor aller Welt rechtfertigen würden. Für den Wiener und die österreichische Bevölkerung knüpft sich an diese Epoche noch manche intimere Reminiszenz, manches imponderable Herzensmoment. Stammt doch der noch immer so kräftige schwarzgelbe Patriotismus, dieser Seelenkitt, der trotz aller Misère und Zankerei die Leute verschiedendster Nationalitäten aneinanderbindet, zur *Einheit* verschmilzt und dem Auslande gegenüber als Einheit kennzeichnet, gerade aus der genannten Ära, aus den kriegerisch großen Tagen der Maria Theresia, aus der geistigen Erhebung unter Kaiser Josef II. Heute noch, also hundert Jahre

post festum, kommt es vor, daß einfältige Bauern
nach Wien pilgern, um den Kaiser Josef zu sehen.
Das ist kein Märchen: Rosegger hat in einer köstlichen Jugenderinnerung ein solches Erlebnis mit
rührendem Humor geschildert.
Aber es ist nicht leicht, ein solches historisches
Bild von Alt-Wien mit wissenschaftlicher Exaktheit
und lebendiger Greifbarkeit vorzuführen. Vor allem
existieren — wir sind ja im Lande der „Schlamperei"
und des „Fortwurstelns" — so wenige verläßliche
Quellenwerke, so wenige gründliche Vorarbeiten, daß
das meiste neu zu machen wäre. Drollige Berichte,
von Augenzeugen im Plauderton gehalten, „Sehens-
würdigkeiten" und „Denkwürdigkeiten", die entweder
von privaten Patrioten oder von Spekulanten herrühren, oft von Spaßmachern oder Leuten, die das
Gruseln erwecken wollen, liegen wohl in Menge
vor. Das alles müßte gesichtet werden. Und bei
aller Anerkennung der Bücher von Bermann,
Wurzbach, Guglia, Krones, Arneth, Hevesi, Schaeffer,
Bodenstein usw. und der kostspielig ausgestatteten
Spezialwerke über den „Wiener Kongreß," die
„Wiener Miniaturen," die „Alt-Wiener Porzellan-
Manufaktur", über Waldmüller und andere Künstler,
muß doch der Wunsch nach einer eifrigeren Pflege
dieses wissenschaftlichen Gebietes nachdrücklich ge-
äußert werden.

Daß auch das vorliegende Werk keine endgiltig abschließende und erschöpfende Behandlung des umfangreichen Themas bedeutet, ist wohl selbstverständlich. Es sollte nur ein Überblick, eine allgemein verständliche und — hoffentlich! — interessante Darstellung gegeben werden. Ich durfte nicht vergessen, daß dieses Buch für ein internationales Publikum zu schreiben war. Viele Namen tüchtiger Künstler, die der einheimische Sammler hochschätzt, konnten nicht einmal erwähnt werden, um die Übersichtlichkeit nicht zu zerstören, den Rahmen nicht zu sprengen. Daß ich es versucht habe, in der Gruppierung der Kunsterscheinungen, besonders aber in der Motivierung mancher bisher unerklärlichen Richtungen im Wiener Geistesleben etwas Neues und Eigenes zu bieten, wird der Fachmann leicht herausfinden. Auf Widerspruch bin ich gefaßt, da ich auch manchem alteingewurzelten Vorurteil widersprechen mußte.

Herrn Dr. August *Heymann*, unserem bedeutendsten Viennensia-Sammler, sei an dieser Stelle für sein liebenswürdiges Interesse an dem Werden dieses Büchleins und für manchen wichtigen Wink der herzlichste Dank abgestattet. Auch den verschiedenen Behörden, Museumsdirektionen, Firmen und Privatsammlern, welche durch Erteilung von Reproduktionsrechten, Überlassung von Photographien und Clichés die Möglichkeit gaben, den illustrativen Teil des Buches so reichhaltig auszustatten, muß ich hier danken. Die einzelnen Namen und genaueren Angaben findet der Leser im Anhang verzeichnet. Besonders hervorheben möchte ich aber noch, daß ein großer Teil der abgebildeten Alt-Wiener Kunstwerke in diesem Buche zum ersten Male veröffentlicht wird; so vor allem die schönen Neuerwerbungen unseres kunsthistorischen Hofmuseums, Werke von Waldmüller, Füger, Fendi, Schindler, Eybl, auch Zoffanys graziöses Porträt der Erzherzogin Maria Christine. Diese Gemälde hat Herr Hofrat August *Schaeffer*, der verdienstvolle, auf die Ausgestaltung der vaterländischen Abteilung stets bedachte Direktor der Galerie, eigens für den vorliegenden Zweck aufnehmen zu lassen die große Güte gehabt.

Mit dem Anfang des achtzehnten Jahrhunderts setzt in Wien eine Epoche friedlicher Kulturentwicklung ein, die mit ihren künstlerischen Leistungen den eigenartigen Charakter des Stadtbildes in seinen Hauptzügen festlegte und auch einen kräftigen Grund für alle weitere Tätigkeit abgab. Eine Zeit furchtbarer äußerer und innerer Kämpfe war überwunden. Zuerst hatten die Glaubensstreitigkeiten die ganze Bevölkerung Österreichs ebenso wie diejenige des deutschen Nordens aufgewühlt. Es ist begreiflich, daß die Regierung, welche von Wien aus ihre Soldaten, ihre Feldherren und ihre Befehle in den Dreißigjährigen Krieg entsendete, mit den stärksten Mitteln der Gegenreformation wenigstens im eigenen Lager die geistige Ruhe wiederherstellte. — Zugleich waren gegen Osten hin die Anstürme der Türken abzuwehren. Nachdem der Kaiser Siegismund und sein Heer bei Nicopolis unterlegen waren, hatten die Türken 1453 Konstantinopel erobert und drängten unaufhaltsam gegen Mitteleuropa vor. Die Niederlage bei Mohács, der Abfall des von den Ungarn zum König gewählten Johann Zapolya, der sich mit den Türken gegen Kaiser Ferdinand verband, hatten die erste schreckensvolle Invasion 1529 zur Folge.

Die heldenmütige Verteidigung der Wiener unter
Niklas Grafen Salm ist oft geschildert worden.
Aber die Gefahr war nicht endgültig abgewendet;
die abgebrannten Vorstädte durften nicht wieder
aufgebaut, die Wälle und Befestigungen mußten
beständig vermehrt werden. Aus der berühmten
Handelsstadt, in der vorher auch Kunst und Dich-
tung geblüht hatten, wurde eine Festung. Erst nach
der zweiten gewaltigen Abwehr 1683, bei der etwa
20 000 Einwohner sich gegen ein Heer von 170 000
Mann zu verteidigen hatten, bis deutsche und pol-
nische Truppen zum Entsatze der Stadt herbeikamen,
war der „Erbfeind" endgültig zurückgedrängt.

Um so reicher konnten dann aber unter Josef I.,
Karl VI. und Maria Theresia die aus früherer Aus-
saat emporschießenden Künste sich entfalten. Es
ist diese Epoche in Geschichtswerken oft so dargestellt worden, als ob der Zwang der religiösen
Zucht, der jesuitischen Beichtväter alle geistige Regsamkeit niedergehalten und die Übermacht der Hof-
kreise und des Adels alles kräftige Empfinden ver-
nichtet hätte. Dieser Auffassung gegenüber müßte
doch darauf hingewiesen werden, unter welchem Druck
der vornehmen Kreise im mächtigen Frankreich und
auch in Spanien die gesamte Bevölkerung zu leiden
hatte, und daß auch dort die großen Künstler, wie
Rigaud, Le Brun, Boucher, Watteau sich um die

2*

allein wärmende Sonne des Königtums drehten. Und was die geistige Regsamkeit im nördlichen Deutschland zu jener Zeit anbelangt, so war sie wohl auch von Pietismus und Zopf bös beeinflußt. In der neuesten Zeit erst, wo man die Kultur einer Epoche *nicht mehr einseitig nach literarischen Leistungen mißt,* konnten die Kunsthistoriker zum Verständnis jener *bedeutungsvollen Epoche* vordringen, in welcher die Baukunst, Denkmalplastik, Freskomalerei, Gobelinweberei, Porzellanfabrikation, Goldschmiedekunst und manche anderen Hilfskünste sich zu einem vollkommen *selbständigen,* wenn auch von italienischem Barock und französischem Rokoko in einzelnen Formen und Motiven beeinflußten *Stil* entfalteten. *Diesen Stil als einheitliche historische Offenbarung zu studieren,* müßte ein Hauptinteresse der kunstsinnigen Weltreisenden sein. Freilich gehört dazu ein längerer Aufenthalt und ein emsiges Nachgehen; auch fehlt ein anregender, übersichtlicher Cicerone. Vielleicht geben diese Zeilen den Anstoß dazu.

II. KAPITEL

WIEN ALS KUNSTSTADT IM 18. JAHRHUNDERT

DIE politische Konstellation war, wie gesagt, zu Beginn des 18. Jahrhunderts in Österreich eine für Entwicklung der Künste überaus günstige. Nicht nur die überwiegende Macht der Habsburger in Mitteleuropa, als der einzigen Dynastie, welche mit der Glorie Ludwigs XIV. wetteifern konnte, sondern speziell die Beziehungen zu anderen kunstreichen Ländern, zu den Niederlanden, zu Spanien und *vor allem zu Italien* hatten den Sinn für Prachtentfaltung und Kunstpflege in Österreich erweckt. Früh hatte hier eine imponierende *Sammeltätigkeit* begonnen, welche auf Gemälde berühmter Meister, auf Prunkwaffen und Geräte, auf Münzen und Medaillen, sowie auf kostbare Bücher ihr Augenmerk richtete. Nun kam dazu, daß infolge des spanischen Erbfolgekrieges Österreich zur Vormacht in Oberitalien gelangte, nachdem in Venedig, Mailand, Genua usw. die anderen Einflüsse zurückgedrängt waren.

Nebenlinien des Hauses Habsburg hatten in den wichtigsten alten Kunststätten die Herrschaft inne.

Noch heute sind die ererbten Titel der Großherzoge von Modena und Toskana, der Parma und Este im Brauch; noch heute sind die Namen alter italienischer Geschlechter in Armee und Kirche Österreichs vielfach vertreten: die Orsini, Colloredo, Montecuccoli. Dazu kam die Übereinstimmung der religiösen Gesinnung, der gottesdienstlichen Formen.

Zunächst kam dieser lebhafte Austausch hoher Kulturwerte in der *Baukunst* zum Ausdruck. In Wien und Umgebung, besonders am Donaustrom, entstanden herrliche Kirchen, Klöster und Schlösser, entfaltete sich ein Zusammenwirken von Baumeistern, Steinmetzen, Tischlern, Malern, Goldschmieden usw., von dessen Intensität und Gewissenhaftigkeit man gerade in jüngster Zeit durch Publikation von zahlreichen in Archiven verborgen gewesenen Dokumenten überzeugende Kunde erhielt.

Auch deutsche Historiker beginnen sich neuerlich für diese Kunstepoche zu interessieren. Cornelius Gurlitt, der vorzügliche Kenner baukünstlerischer Werte, hat sich mit viel Geist und Temperament für ihre Größe eingesetzt. Er hat mit Nachdruck darauf hingewiesen, daß die Wiener Barocke viel höher steht und viel kraftvoller ist, als die italienische und französische, daß sie vielmehr *eine aus deutscher Volkskraft geborene Fortführung der mächtig-sten Renaissance-Züge sei*, entstanden im Kampfe *gegen* die Barockkünstler der Bologneser Schule, gegen die Galli-Bibiena und Pozzo. ,,Alle Stilbegriffe sind relativ,'' sagt Gurlitt, ,,so auch der *Klassizismus* der Wiener Hauptmeister, der Fischer, Gran, Donner. Er ist eine Absage gegen das Weitergehen ins Land barocker Übertreibung, er ist eine Umkehr nach der Richtung der Einfachheit!'' Wohl hatte man anfangs auch italienische Meister herbeigerufen, wie jenen Burnacini, von dessen phantastischem Geist alle die vielen im Wiener städtischen Museum aufbewahrten überladenen Entwürfe für Triumph-pforten, Bühnenprospekte, Denkmäler Kunde geben, und von dem auch der Entwurf der später von Fischer, Strudl und anderen ausgeführten Pestsäule am Graben herrührt. Aber die österreichischen Meister, die Fischer von Erlach, Prandauer, Lucas von Hildebrandt, übertrugen das in ihre eigene Sprache. In der ganz selbständigen Profilierung, in der derberen, mit kräftigem Materialempfinden durchgeführten Massenentfaltung zeigten sie eigen-artige Gedanken und eine schöpferische Formsicher-heit. ,,Es ist der neuen Kulturgeschichte — welche den geistigen Inhalt einer Zeit nur nach der wissen-schaftlichen Leistung mißt — entgangen, daß hier *aus der Schlichtheit eines heiteren, von Zweifeln freien*

Glaubens wieder eine künstlerische Blüte erwuchs.
Ein zum alten Glauben zurückgeführtes und in
ihm sich sicher geborgen fühlendes Volk brachte
hier wieder das Beste, was es besaß, seine Kunst-
liebe, der Kirche in überreichem Maße dar; und
zwar *in einem Schaffen, das unmittelbar aus dem
Volke hervorging, ihm eigen war, und seine Art in
vollkommener Selbständigkeit darlegte.*" — Gegenüber
dem häufig wiederholten Vorwurf, diese ganze
Kunst sei nur von Adel und Geistlichkeit dem
Lande aufgedrungen worden, ist eine solche Äußerung eines unparteiischen, fremden Beurteilers, wie
Gurlitt, von besonderem Wert. „Die Klärung nach
der klassischen Seite," fährt er fort, „vollzog sich in
allen Gebieten der Wiener Kunst. Ihr Grund liegt
nicht nur in den äußeren Verhältnissen, sondern
in dem gemeinsamen Wirken so großer Meister, wie
es Fischer von Erlach, Donner und Gran waren,
in der verständnisvollen Lehre der Wiener Kunst-
schule. Sie hat in literarischer Beziehung wenig
Ausdruck gefunden und ist daher in einem literarischen Zeitalter wie dem 19. Jahrhundert fast
ganz übersehen worden; außer für die Schwester-
kunst, für die Musik."

Also ein *Gesamtkunstwerk*, ein Zusammenwirken
aller sinnlich-künstlerischen Triebe stellt die Kultur
jener Alt-Wiener Epoche dar, und sie ist in dieser

Beziehung wert, neben den großen Kunstepochen aller Zeiten, neben der Renaissance in Italien, der niederländischen, besonders neben der französischen Kunstblüte des 18. Jahrhunderts ihren gebührenden Rang zu erhalten. Auch in der Renaissance ist ja der Auftrag für den Künstler meist aus dem Prunkbedürfnis des weltlichen oder kirchlichen Machthabers erflossen, ohne daß die Eigenheit und Kraft des Künstlers darunter gelitten hätte. Übrigens ist im späteren 18. Jahrhundert, unter Maria Theresia und Josef II. die *Teilnahme der bürgerlichen Kreise* an der künstlerischen und kunstgewerblichen Tätigkeit eine immer breitere geworden. Hausrat und Mobiliar, Zierstück und Körperschmuck wurden nach Qualität verstanden und erstanden; und auch das Porträt, das freilich nur von den reicheren Familien bei bedeutenden Malern bestellt werden konnte, wurde bald zu einem Gebiet allgemein bürgerlicher Kunstpflege, als sich eine Schule vorzüglicher Miniaturmaler herausbildete, und es Sitte wurde, von Eltern, Geschwistern, Gatten, Kindern das fein und zierlich auf Elfenbein hingehauchte Konterfei im Portefeuille bei sich zu tragen oder auf dem Schreibtisch aufzustellen. Wie dem einzelnen Bürger allmählich auch Gelegenheit ward, an dem gesamten Geistesleben der Zeit, an Theater- und Musikaufführungen, an

Literatur und Kunst teilzunehmen, das soll späterhin an einzelnen Beispielen erörtert werden. Zunächst freilich waren der Hof und der Adel, sowie die Geistlichkeit in der Bewegung führend. Sie zogen mit großer Weltkenntnis ihre Künstler aus allen Ländern heran. Von Italienern waren der bereits genannte Burnacini, dann Carlo *Fontana* in Rom, welcher dem Fürsten Hans Adam von *Liechtenstein* 1696 die Pläne für sein Gartenschloß in der Rossau (in welchem sich noch heute die berühmte Liechtensteinsche Galerie befindet) entwarf, Domenico *Martinelli* (geb. zu Lucca um 1650, † 1718), welcher das Majoratshaus dieses fürstlichen Geschlechtes in der Stadt (heute Bankgasse 9) baute, Donato Felice Allio, der Erbauer der Salesianer-Kirche und des Stiftes Klosterneuburg, ferner die Bildhauer Artaria, (Stammvater des Wiener Geschlechtes), Lorenzo *Mattielli* (geb. 1688 zu Vicenza?, † zu Dresden 1748), dann zahlreiche Maler aus Bologna und Venedig, unter andern der gefeierte Solimena für Wien tätig. Daneben wirkten die *Pariser*: Louis *Dorigny* (geb. 1654, † 1742) als Freskomaler am Palast des Prinzen Eugen von Savoyen, Jean Trechet († nach 1723, seit 1688 in Wien) als Gartenbaumeister in Schönbrunn, andere Franzosen als Gobelinweber usw. Auch aus Antwerpen und Brüssel wurden Porträtmaler und Kupferstecher

berufen, so die in Paris ausgebildeten Jakob und
Balthasar van Schuppen, Martin Meytens, wie vorher schon Suttermans und andere.

Bald aber kamen die Kinder des Landes zu Worte
und in den Vordergrund. Unter den Baukünstlern
ist seit längerer Zeit, besonders seit den verdienst-
vollen, wenn auch noch schwankenden Forschungen
Ilgs, Johann Bernhard *Fischer von Erlach* als der
bedeutendste bekannt. Er wurde 1656 in Graz, der
ehrenfesten Hauptstadt der Steiermark, geboren,
bildete sich in Rom unter Schor und Fontana, namentlich an Bauten, wie der Palazzo Colonna, kam dann
mit fünfundzwanzig Jahren nach Wien, wo er, zunächst noch unter der Leitung Burnacinis, an der
prächtigen Pestsäule (auch Dreifaltigkeitssäule genannt) mitarbeitete; man erkennt seine Art an dem
strengen, maßvollen Unterbau, während in der
kulissenartigen Behandlung des oberen Teiles noch
die üppige Phantasie des ersten Leiters zu spüren
ist. 1695 begann Kaiser Josef I. den Bau eines Lustschlosses — Schönbrunn —, in dem er mit Versailles
rivalisieren wollte, und zog Fischer für diese Aufgabe
heran. Dieses große Projekt wurde freilich erst
durch Maria Theresia weitergeführt. (S. Abbildung.)
Aber eine Reihe anderer Palastbauten gaben den
Künstlern, vor allem Fischer von Erlach, ausgiebige
Gelegenheit zur Betätigung ihrer Talente. 1697

wurde der Grundstein zu dem prächtigen Garten-
palais des Fürsten Fondi gelegt, das später in den
Besitz des Fürsten Schwarzenberg überging; es ist
jedem Wiener und Besucher Wiens wohlbekannt.
Von der Ringstraße aus gesehen, den schönen
Schwarzenbergplatz dominierend, bietet es an klaren
Tagen, besonders im Frühjahr im Schmuck des um-
rahmenden Grüns, einen wundervollen Anblick.

Auf Fernwirkung, schöne Platzanlage, Silhouette
und Gruppirung wurden bei allen Bau-Unter-
nehmungen jener Epoche, in deren Schilderung wir
weiter unten fortfahren, in großzügiger Weise hin-
gearbeitet. Das ist eben einer der Hauptvorzüge des
alten im 18. Jahrhundert geschaffenen Wiener Stadtbildes, daß Künstler und Kunstfreunde jener Zeit
sich mit dem Eifer, der damals zur vorgeschriebenen
Bildung gehörte, dem Studium der besten Vorbilder
widmeten und die schönsten Platzanlagen Roms
genau kannten.

Um die großartige Leistung ganz zu verstehen,
muß man betrachten, was die Künstler jener Zeit in
Wien vorfanden. Wenn man das damalige Stadtbild
— vor den zahlreichen Neubauten — überschaut,
findet man eine festungsartig zwischen Mauern ein-
gezwängte kleine Ortschaft mit einigen wenigen im-
ponierenden gotischen Bauwerken und geringen
Spuren der deutschen Renaissancebauweise. Von den

Kirchenbauten der gotischen Epoche sind ja einige der markantesten als ewiges Wahrzeichen stehen geblieben. Vor allem im Zentrum der Stadt der Stephansdom, der — wie so viele Kolossalbauten jener über ihre materiellen Mittel hinaus himmelanstürmenden Epoche — unvollendet, mit dem einen aufgebauten Turm, das berühmte, weithin sichtbare Wahrzeichen Wiens bildet; die Kirche Maria am Gestade mit ihrer schönen gewölbten Turmendigung. Die alte gotische Peterskirche brannte ab und wurde eben in der Barockzeit neu errichtet. Von den bürgerlichen Wohnhäusern jener Jahrhunderte ist nichts erhalten geblieben. Eine einzige Stadtansicht von der Donauseite aus gibt einen Begriff von dem Aussehen jenes älteren Bezirks mit dem roten Turme, den Zinnen und Erkern der alten Häuser. Eine andere Quelle, die eines genaueren Studiums bedürfte, und auf die ich bereits vor mehreren Jahren die Öffentlichkeit aufmerksam gemacht habe, ist ein Zyklus von Gemälden eines Meisters um 1500, der das Leben Mariä und Christi auf Wiener Schauplätzen sich abspielen läßt. Diese Bilderfolge befindet sich in der hochinteressanten, dem Publikum sowie dem Baedeker unbekannten Gemäldegalerie des uralten Schottenstiftes am Hof. — Aus der nachfolgenden Zeit gibt es mehrere Abbildungen; die Straßen und Plätze hatten im

16. und 17. Jahrhundert ein ähnliches Aussehen wie diejenigen mitteldeutscher Städte. Als vor etwa 20 Jahren in Wien eine große ,,Theater- und Musikausstellung'' abgehalten wurde, hatte das Komitee den hübschen Einfall, eine getreue Kopie des Hohen Marktes mit dem Gerichts- und Schrannengebäude, den hübschen Giebelhäusern und Lauben errichten zu lassen und auf diesem stimmungsvollen Platze ein kleines Hanswursttheater zu inszenieren, auf welchem Schwänke von Hans Sachs, Kasperliaden, Werke der Wiener Possendichter Stranitzky und Prehauser im Freien zur Aufführung gelangten.

Auch literarische Zeugnisse, Beschreibungen der Stadt aus der Feder bedeutender Autoren, geben Kunde davon, daß schon das enge, mauerumgürtete Wien des Mittelalters und des 15. Jahrhunderts schöne Bauten und malerische Plätze hatte. Eine der ausführlichsten und klügsten Schilderungen ist die des berühmten, später zum Papst gewählten Aenea Silvio Piccolomini, aus den Jahre 1451. Er erzählt, daß die Häuser der Bürger hoch und geräumig, wohl geziert, gut und fest gebaut seien, mit hübschen, zum Aufenthalt geeigneten Hofräumen und großen heizbaren Stuben; er rühmt also der Wiener Bauweise ähnliche Vorzüge nach, wie sie von den Nürnbergern berichtet werden. ,,Die Häuser weisen hohe Giebel auf, sind zumeist von außen

DIE KANZEL IM STEPHANSDOM.
AN DEM PFEILER UNTEN DAS RELIEFBILD DES MEISTERS PILGRAM

34

und innen bemalt, durchwegs von Stein, die Dächer
meist aus Schindeln, seltener aus Ziegeln. Die Fenster
sind fast überall aus Glas, Tore und Gitter mit
schmiedeeiserner Arbeit, in den Wohnräumen findet
man reiches und kunstvolles Gerät; Vögel singen
in den Käfigen." — Ein anmutendes Bild! Leider ist
von den Bauten jener Tage so gut wie nichts erhalten
geblieben; und nur das Portal der Salvatorkapelle,
einige Teile der Hofburg, Reste des „Neugebäudes"
und wenige kleinere Objekte geben davon Kunde,
daß auch in Wien der Renaissancestil Pflege fand.

So bedauerlich diese Lücke im Interesse eines
reichhaltigen Stadtbildes sein mag, so war doch gerade durch die freiere Dispositionsmöglichkeit den
Bauherren und Baukünstlern Gelegenheit zu einer
großzügigen Anlage gegeben, bei welcher das wellige
ländliche Terrain und besonders der gegen Süden
und Westen ansteigende Boden Wiens in kluger
Weise ausgenützt wurde. Es muß hier auf eine
Eigenheit des Wiener Stadtbildes hingewiesen werden:
Für das ganze 18. Jahrhundert und bis herauf zur
Mitte des folgenden Säkulums behielt die Unter-
scheidung von *Stadt* und *Umgebung* größte Wichtigkeit. Es war schon früher davon die Rede, daß
Stadt- und Sommerpaläste angelegt wurden — beides
im Rahmen des heutigen Wien. Das ist eine Erscheinung, die einer Erklärung bedarf und die viele

Eigenheiten in der Lebensweise der Wiener bedingt. Noch in dem Leben und Schaffen eines Grillparzer, Schwind, Beethoven spielt diese Zweiteilung eine wichtige Rolle. Nicht nur Hof und Adel, auch die vermögenden Bürgerfamilien hatten ihre Wohnung im Winter innerhalb, im Sommer außerhalb der Stadtmauern. Während die Basteien und Wälle den festungsähnlichen Stadtteil, der heute noch „Innere Stadt" heißt, zu einem eng begrenzten Schauplatz der politischen und geschäftlichen Tätigkeit machten, war außerhalb der weitläufigen „Glacis" ringsum ländliches Terrain, wie die Namen „Heugasse" „Alleegasse" noch heute bezeugen. Weite Felder, bewaldete Hügel, Weingärten breiteten sich dort aus, und erst vor neun Jahren wurde bei Errichtung des Kreuzherrenhofes nächst der Karlskirche das kleine altersgraue Häuschen abgerissen, in dem vor drei- bis vierhundert Jahren die Bauern und Weinhüter gezecht hatten. Ich will späterhin, bei der Schilderung der Biedermeierepoche und ihrer künstlerischen Betätigung auf dieses Thema noch zu sprechen kommen und auf charakteristische Stellen in den Biographien großer Meister hinweisen.

Damals nun wurden mit großem Blick dominierende Punkte zur Anlage von Kirchen und Palästen ausgesucht, welche auch die Ausgestaltung eines

BERNARDO BELOTTO, GEN. CANALETTO:
DER VORHOF DES KAISERL. LUSTSCHLOSSES SCHÖNBRUNN.
(KUNSTHISTORISCHES HOF-MUSEUM.)

wirkungsvollen Vorplatzes, einer Zufahrt und die Angliederung schöner, nach italienischem und französischem Muster kultivierter Parks gestattete. Diese alten Gärten, die heute noch bestehen, bilden eine ganz besondere Spezialität der Wiener-Stadt und haben sicher auf die Vertiefung des seelischen Lebens und auf die Heranbildung künstlerischen Empfindens mächtig eingewirkt. Architektonisch gegliederte Partien mit glatt geschorenen Laubwänden, in deren Nischen „antikisch" nackte Gottheiten und Heroen posierten — Paris und Helena, Apollo und Daphne, der Raub der Sabinerinnen bildeten die Lieblingsthemen, auch die Pomona, die neun Musen (im Belvedere-Park), spielende Putten als Jahreszeiten oder Monate — wechselten in diesen ausgedehnten Parks mit natürlichen Gruppen dichtbelaubter Kastanien, mit ansteigenden Rasenplätzen, über die eine „Gloriette", oder eine Drachenhöhle herabsah. Teiche für Schwäne, Enten, Karpfen, Goldfische, prächtige Brunnen mit Ungeheuern, Meergottheiten, Wasserspeiern wurden angelegt. — Man begreift, welchen Eindruck solche Herrlichkeiten auf das Gemüt schlichter Bürgerskinder, die eben aus einer dumpfen Schulstube, aus einem finstern Wohnraum entflohen sind, machen müssen. Anfangs war wohl ein Teil dieser Gärten nur dem Genusse der adligen Besitzer und ihrer

Freunde gewidmet; aber Kaiser Josef II. öffnete
Volksgarten, Prater und Augarten und gab damit
das Zeichen zur Erschließung all dieser Parks. Damit
war auch eine Annäherung und genaueres Studium
der umgitterten Palastbauten ermöglicht. Außer
dem kaiserlichen Lustschloß Schönbrunn, dem Augarten in der Leopoldstadt, dem Volksgarten nächst
der Hofburg, dem Belvedere-Schloß des Prinzen
Eugen seien der Park des fürstlich Schwarzenberg-
schen und des Liechtensteinschen Sommerpalais,
sowie der Eszterhazypark hier angeführt. In den
berühmten Gemälden des Bernardo Belotto, gen.
Canaletto, sind diese Lokalitäten noch mit dem ganzen
Reiz der Staffage erhalten.

Um diese Schlösser und Parks entstanden rings
neue Ansiedlungen von Bürgern, so in Liechtenthal,
wo Fürst Adam Liechtenstein den ihm gehörigen
Grund in Bauplätze aufteilte und gegen billigen
Zins verlieh. Und die Bauweise der kleineren
Bürgerhäuser richtete sich nach den willkommenen
vornehmen Mustern, ohne dabei die praktischen
Bedürfnisse zu verkennen. Ja, es wurde sogar (unter
Maria Theresia) eine Verordnung erlassen, daß die
Fassadenentwürfe aller Neubauten der Regierung
vorzulegen seien! Gerade eine solche Vorschrift ist
heute, wo jeder Bauspekulant das Straßenbild rui-
nieren darf, nicht durchzusetzen — —!

CANALETTO: DIE FREYUNG MIT DEM MARKT,
IM HINTERGRUNDE DIE SCHOTTENKIRCHE.

Daß solche Prinzipien der leitenden Kreise auch der Bevölkerung nahelegten, die Schönheit zu suchen und zu pflegen, ist klar. Auch manche Folgeerscheinungen wären hier zu erörtern. So hatte die Sitte der Grandseigneurs, einen Teil des Jahres auf dem Lande zu verbringen, auch auf den Bürger, der in anderen Städten zwischen öden Häuserzeilen zu verkümmern pflegte, günstig eingewirkt. Durch die engen Tore hinaus ins Freie zu pilgern, am „Tivoli", in der Brigitten-Au, welche viele Belustigungen bot, im Prater, auch auf dem Kobenzl (der damals noch Reisenberg hieß), auf dem Kahlenberg, im Krapfenwaldl oder im Holländerdörfel sich zu erlustieren, im Zeiserlwagen auf's Land hinaus zu fahren, ward zum Lebensbedürfnis. Und daß diese Gewohnheit den Blick weitete und die Grundlage zum intimen Naturstudium bot, aber auch den Zusammenhang mit der ländlichen Bevölkerung und ihren Sitten herstellte, wie er sich in den trefflichen Leistungen der Alt-Wiener Landschafterschule und den treu beobachteten Bauernbildern Waldmüllers und anderer offenbarte, darf in einem historischen Überblick über Alt-Wien nicht vergessen werden. Die Wiener Malerei hatte dadurch einen Vorsprung vor der deutschen und französischen, ebenso wie die englische.

Dann aber brachte die starke Bautätigkeit auch eine direkte Beeinflussung der *graphischen* Kunsttätigkeit.

3*

Pläne, Fassaden, Prospekte wurden von tüchtigen Meistern in Stichen festgehalten; so die Werke Fischers von Erlach durch den vortrefflichen Salomon Kleiner. Auch Pfeffel und Delsenbach waren auf diesem Gebiete eifrig tätig. Holländische und italienische Stecher wurden herangezogen und übertrugen ihr Können auf Einheimische. Die Baumeister sind auf alten Porträten nicht nur mit Zirkel und Reißbrett dargestellt; viele waren auch tüchtige Maler. — Es war, wie gesagt, eine Kunstepoche von abgeschlossenem, einheitlichem Charakter. Man arbeitete voll Energie, dabei aber ohne Überhastung, mit starkem, durch die politischen Erfolge gehobenen Selbstgefühl, aber ohne leeren Pomp —, den der Wiener mit dem drastischen Worte ,,Pflanz'' bezeichnet. So kam man nicht in das bedauerliche Mißverhältnis zwischen Wollen und Können, wie es so oft die Durchführung gigantischer Aufgaben im Mittelalter beeinträchtigt hatte.

Es soll nun — nach so vielen Exkursen — die Schilderung der kraftvollen schöpferischen Tätigkeit zu Beginn des 18. Jahrhunderts fortgesetzt werden. Ich will nur kurz, um nicht mit längst Bekanntem den Leser zu ermüden, die vornehmsten Werke hier anführen. Vor der südlichen Anhöhe liegt, das Schwarzenberg-Palais überragend, das imposante und doch infolge der glücklichen

Fassadengliederung so graziöse Belvedere, das Prinz Eugen von Savoyen durch Johann Lukas von *Hildebrand* (geb. zu Genua 1668, aber deutscher Abstammung) erbauen ließ. Derselbe Meister hatte vorher (1709—13) den schönen Palast des Fürsten Daun geschaffen, der später in den Besitz der Fürsten Kinsky überging und noch heute von ihnen bewohnt wird. In der schönen, genial gelösten Treppe dieses Hauses gibt sich der Schöpfer des Salzburger Mirabellschlosses zu erkennen. Es folgten, zum größten Teil nach Entwürfen Fischers von Erlach, das Palais des Grafen Batthyanyi, 1715 vollendet, jetzt im Besitze der Grafen Schönborn (Renngasse), und das für den Fürsten Trautson (jetzt kgl. ungarisches Gardepalais, nächst der Neustiftgasse). Ein Hauptwerk Fischers ist das Winterpalais des Prinzen Eugen (jetzt Finanzministerium, Himmelpfortgasse), ein imposanter Bau mit prächtiger, statuen- und reliefgeschmückter Fassade, schönen Torwölbungen und Höfen, einer reichen Prunkstiege; die Ausschmückung der Repräsentationssäle vereinigte an Behandlung der Boiserien, Verwendung von Bronzen und Vergoldungen, aller Arten von Dekorationsmalerei usw. sämtliche damals in Flor stehenden Künste. Leider konnte der kunstliebende Prinz immer nur wenige Monate, in den kurzen Pausen zwischen seinen großen Feldzügen, seine Schätze genießen, in die

er alle Geldmittel steckte, die er als Lohn für seine
Kriegstaten einheimste, und mehr noch als diese:
oft mußte er Schulden machen, um seinen Passionen
nachgehen zu können.

Die Leistungen, welche Fischer am populärsten
machten, waren: die *Karlskirche* und die *Zubauten
zur kaiserlichen Burg.* An die erstere knüpft sich
viel Kampfgeschrei der jüngsten Tage. Dieser imposante, in seinen Maßen so wohl abgewogene Bau
mit der ovalen, laternengekrönten Kuppel, der vor-
gestellten, mit antikem Giebel abgeschlossenen Säulen-
halle und den beiden kolossalen, nach dem Muster
der Marc Anton-Säule behandelten Säulen zu beiden
Seiten ist ja natürlich auf Fernwirkung berechnet
und als Mittelpunkt einer grandiosen Platzanlage
gedacht. Nun ist den Baumeistern der letztver-
gangenen Epoche, die an dem Ausbau der neuen
Ringstraße (an Stelle der aufgelassenen Glacis und
Wälle) mitzuwirken hatten, das Malheur passiert,
daß sie im Eifer der Arbeit diesen Prachtbau aus-
sperrten, den Anblick von der Stadtseite aus durch
eine Zeile von Wohnhäusern verbauten. — Und nun
wird seit Jahren an dieser kranken Affäre herum-
gedoktert, ohne daß man zu einem vernünftigen
Resultat kommen kann. — Das einzige Mittel, das
freilich als zu radikal und kostspielig niemals zur
Ausführung kommen dürfte, wäre, die paar Häuser

DER KUPPELSAAL DER HOFBIBLIOTHEK IN WIEN.
NACH EINEM GEMÄLDE VON *KARL PROBST*.

wieder wegzureißen. — Während an diesem großen
Werk Fischers von Erlach, an dem von 1716—1737
gearbeitet wurde, sich die Nachwelt bös versündigt
hat, wurde das andere genannte Werk, die Hofburg,
erst in jüngster Zeit in pietätvoller Weise getreu
nach den Plänen ausgebaut und so statt des „Graffel-
werks", statt der schmutzigen Ruinen, welche dort
die Passage versperrten, ein mächtiges kuppel-über-
wölbtes Tor geschaffen, welches dem Prospekte vom
Graben aus, über den Kohlmarkt weg, einen famosen
Abschluß gibt. Der südliche, vom Meister selbst
noch vollendete Bau, die an Stelle eines kleinen
überflüssig gewordenen Lustgartens und Theaters
errichtete Hofbibliothek ist mit ihrem wundervollen
Saal (den wir hier in der guten Darstellung eines
neueren Künstlers wiedergeben) der Typus der
damaligen, auch für Pflege der Wissenschaft prunk-
volle Formen fordernden Weltauffassung. Die Fassade
bildet einen Teil des vielgerühmten Josefsplatzes.

In all diesen Bauwerken — an welche in den
nachfolgenden Jahrzehnten noch eine lange Reihe:
die „Böhmische Hofkanzlei" (Wipplinger Straße) und
das gegenüberliegende alte *Rathaus* (mit dem schönen
Brunnen im Hofe, von Raffael Donner), das Savoy-
ische Damenstift, die Palais Schönburg-Hartenstein,
Lobkowitz, Roffrano (später Auersperg), die alte
Universität, jetzt Akademie der Wissenschaften,

Theresianum, Alserkaserne, mehrere Kirchen usw.
anzureihen wären —, bekundet sich trotz aller Anklänge an die römische Schule eine ganz selbständige,
dem Charakter des Wiener Hofes und der Stadt, sowie den speziellen Erfordernissen angepaßte Formen-
sprache. Eine so weise und wirkungsvolle Ausbildung
des Putzbaues ist in der ganzen Welt ohnegleichen.
Dabei ist überall auf ein Zusammenklingen des einzelnen Baues mit der Platzanlage Rücksicht genommen;
so auf dem Mehlmarkt, am Hof, auf der Freyung,
in den verschiedenen Vororte-Anlagen.

So ist in der Wiener Bevölkerung der Sinn für
Perspektiven, für die hübsche Vedute großgezogen
worden; wie der aus Venedig herbeigerufene *Canaletto* im großen Ölbild, so haben zahllose Wiener
Künstler im kleineren und kleinsten Format, in Öl,
Aquarell und Gouache, auf Pergament, Elfenbein,
Perlmutter und Horn, für Kassetten, Dosen, Uhren
die Vedutenmalerei gepflegt. Von einem der besten,
dem in der jüngsten Zeit besonders geschätzten
Meister *Wigand*, dessen mit der Lupe ausgeführte
Miniaturprospekte heute mit Gold aufgewogen werden, soll noch später die Rede sein. Und bis in
die neueste Zeit herauf haben viele Maler, unter
denen der kürzlich als hochbetagter Greis verstor-
bene Rudolf von *Alt* die erste Stelle einnimmt, diese
Seite der Wiener Kunstbegabung gepflegt. Nicht nur

DER PLATZ „AM HOF".
NACH EINEM AQUARELL VON *RUDOLF ALT.*

51

in Wiens alten, schönen Plätzen hat er Hunderte
von köstlichen Motiven festgehalten, vor allem der
Stephanskirche von allen Seiten jeden Reiz ab-
gelauscht (vgl. die hübschen Abbildungen, welche
den Stephansplatz mit der Kirche und den historisch denkwürdigen Platz „Am Hof" darstellen,
beide in großzügiger, echt malerischer Weise aufgefaßt, und mit reicher charakteristischer Staffage
versehen), sondern er hat seine Kunst als Wander-
vogel durch die Welt getragen nach Prag, Graz,
Trient, Innsbruck, nach Italien und noch weiter.
Die Geschmacksrichtung des Publikums hat ihn dabei
gefördert. Seine Blätter wurden stets sehr begehrt,
wenn auch nicht gerade hoch bezahlt, und es war
Sitte in Adels- und Patrizierkreisen, die einzelnen
schönen Interieurs oder einen Durchblick durch die
stattlichen Säle von Rudolf Alt malen zu lassen. —
Ich greife da um hundert Jahre vor; aber es ist
mein Bestreben, zu zeigen, wie diese ganze Alt-
Wiener Kultur ein Kunstwerk aus *einem* Gusse ist,
wie die Quellen für die Begabung der heute höchst
geschätzten Meister in jener Vergangenheit fließen.

III. KAPITEL

DER GENIUS LOCI

MIT den aufgezählten Bauwerken waren nun verschiedene wichtige Punkte in dem ideellen Gesamtbild einer neuen Kunststadt Wien markiert. Man könnte fast an die Arbeitsweise des Bildhauers denken, der — bevor er seine Idee in endgültigem Material, in Stein oder Marmor ausführt — an dem rohen Block gewisse Punkte anbohrt, die ihm bei der Arbeit eine Orientierung ermöglichen sollen. Was dazwischenliegt, gewährt der freien schöpferischen Tätigkeit immer noch weiten Spielraum. So gab es nun auch für die kunstsinnigen Bürger und die von ihnen erwählten Künstler, sowie für die nachfolgende Generation vielfache Aufgaben: auszubauen, zu verbinden, zu schmücken. Die Plätze und Höfe wurden mit Brunnen und Denkmälern, die Säle mit Bildern und allerhand Schmuck ausgefüllt, wobei zunächst noch eine Steigerung der Erfindungsgabe, eine Vertiefung nach Seite des seelischen Gehalts zu bemerken ist.

Das Zusammenwirken all dieser Kräfte, die im nachfolgenden noch einzeln genauer geschildert werden sollen, ergab nun einen bestimmten künstlerischen *Lokalcharakter*, der bis auf den heutigen Tag trotz so vielfacher Neuerungen und Umänderungen sich erhalten hat: man nennt diesen spezifischen Kunstgeist einer bestimmten Stätte gern den *Genius loci*. Dieser Genius ist kein willkürlich schaltendes, tyrannisches Wesen; aus dem Zusammenwirken so vieler historisch gewordener, bodenständiger Elemente entstanden, waltet er mit Naturnotwendigkeit, beruhigend, versöhnend, den Suchenden leitend. Unterdessen sind Tausende von neuen Erfindungen gemacht worden, die Lebensbedingungen haben sich geändert, und es kann vom Sohne des 20. Jahrhunderts nicht verlangt werden, daß er im selben Stile baut, mit denselben Elementen operiert, wie der Bewohner von Alt-Wien. Damit ist aber nicht gesagt, daß die volkliche Eigenart des Wieners eine total andere geworden ist. Seine Sprache, sein Dialekt, seine Gewohnheiten sind mit geringen Veränderungen dieselben geblieben, und ein Bürger oder Adliger von 1909 sieht gewiß einem Vorfahren von 1709 mehr ähnlich, wie einem Japaner oder Malaien. Die modernsten Wiener Künstler aber halten die Aufnahme jedes noch so exotischen und unvereinbaren

Geschmackselements für bedeutend wichtiger und lebensfähiger, wie die Beachtung ihres Genius loci. So kommt ein Kunst-Kauderwelsch heraus, und wie beim Turmbau zu Babel versteht einer den anderen nicht mehr. — Auch gegen die Geschmacklosigkeiten und Eigenwilligkeiten der Hypermodernen ist dasselbe Mittel zu empfehlen, wie gegen den Vandalismus der Demolier-Protzen: eifriges Studium der künstlerisch bedeutenderen Vorfahren!

Viele in jener geschilderten Epoche des alten Wien entwickelten Kräfte und geübten Metiers haben sich bis auf den heutigen Tag erhalten; der Stukkateur, der Dekorationsmaler sind noch heute wichtige Faktoren, und fast jeder bedeutendere Maler und Bildhauer kommt mit diesen Berufen in Fühlung. Zur Ausstattung von Kirchen, Palästen, Sälen gehörte in erster Linie die Stukkatur. Auf diesem Gebiete hat das Barock Erstaunliches geleistet. Die hohen Wölbungen der starren Eintönigkeit zu entkleiden, die mächtigen Wandflächen in Felder zu teilen, in denen Gobelins, Prunkstoffe, groteskenartige und chinesisch spielerische Malereien zum Auge des Beschauers sprachen, desgleichen auf den Plafonds Reliefdarstellungen oder Umrahmungen für Deckengemälde zu formen, wurde ein großer Reichtum an Formen ersonnen, der von Peter Strudel und Raffael

Donner bis zu den neuzeitlichen Bildhauern Viktor
Tilgner und Theodor Friedl den Arbeiten der
Wiener Künstler einen eigenen Schwung verliehen
hat und in dem Formenschatz unserer Stukkatur-
firmen (wie Antonio Detoma) noch weiterlebt, wenn
auch häufig zur Schablone erstarrt. Das Bestreben
ging dahin, die Raumwirkung zu erhöhen, den
Raum zu erweitern und zu beleben. Die Mittel
hierzu wurden mit einer erstaunlichen Phantasie
und technischen Geschicklichkeit bewältigt. Das
Schwebende, alle Schwere der Konstruktion Auf-
hebende trafen Bildhauer und Maler so gut wie
die Meister der ausgehenden Venezianer Kunstblüte,
die Veronese und Tiepolo. Selbst der strenge
Winckelmann, dem ja die einfache Größe der Antike als Ziel vorschwebte, nennt Daniel *Grans* gro-
ßes Deckengemälde in der Wiener Hofbibliothek
ein erhabenes Werk, ein malerisches Heldengedicht.

Maler, Stein- und Holzbildhauer, Kunsttischler,
Elfenbeinschnitzer, Drechsler, Bronzegießer, Gold-
und Silberschmiede wurden für solche Kunstwir-
kungen herangezogen. Von Hunderten dieser tüchtigen Meister sind die Namen vergessen, oder nur
in Zunftdokumenten enthalten und dem großen
Publikum unbekannt. Einige der Bildhauer,
deren Namen mit bedeutenden Werken verknüpft
bleibt, seien hier angeführt: Andrea dal Pozzo,

eigentlich Brunner, gestorben zu Wien 1709, schuf neben graziösen Fresken auch ein gutes Buch über die Perspektive. Eine große Künstlerfamilie führte den echt wienerischen Namen *Strudl* (eine beliebte „Mehlspeise" heißt nämlich so). Jakob Strudl war der Stammvater; sein Sohn Peter († zu Wien 1714) war *der Begründer und erste Leiter der Wiener Akademie, die eine Zeitlang die berühmteste Europas war, viele tüchtige Kräfte heranbildete* und erst viel später durch Formalismus zum Schreckgespenst der frei schaffenden Künstler wurde. Ein Bruder, Paul, war Bildhauer; er schuf die schönen Figuren an der Pestsäule, die Statuen der Habsburger im großen Saal der Hofbibliothek.

Gerade die Karriere dieser Familie gibt Gelegenheit, zu zeigen, daß die Künstler damals in Wien durchaus nicht als untergeordnete Hilfskräfte oder als Hoflakaien behandelt wurden. Die Brüder Peter, Paul und Dominik wurden 1707 von Kaiser Josef I. in den Reichsfreiherrenstand erhoben; das Adelsdiplom enthält die schmeichelhaftesten Ausdrücke, Vergleiche mit Phidias und Praxiteles. Das waren nicht bloß Formalitäten, Titel ohne Mittel. Man weiß aus den in Archiven bewahrten Rechnungsauszügen, daß z. B. der eine Bruder als kaiserlicher Kammermaler einen jährlichen Gehalt von 3000 Gulden bezog (was einer heutigen

Jahresgage von etwa 12000 Mark gleichkommt); eine Zeitlang hatte er für das kaiserliche Jagd- und Lustschloß zu Laxenburg die Statuen aus- zuführen und bekam dafür noch „extra" eine Zulage von 2000 Gulden pro Jahr, also einen viel höheren Bezug als die städtischen Beamten und Würden- träger. Er hat sich denn auch bald an einem herr- lichen hochgelegenen Punkte, der „Schottenpeunt" (oberhalb der Liechtensteinstraße), ein herrschaft- liches Schlössel bauen lassen, von dem man einen schönen Überblick über Schloß und Park des Fürsten Liechtenstein bis hinüber zu den umrah- menden Bergen des Westens genoß; heute ist an der Stelle Palast und Garten des Botschafters Grafen Berchtold; aber die Straße ist noch jetzt nach dem alten Strudlhof benannt.

Die Kunstfreunde hatten sich eben gewöhnt, Schönheit als Annehmlichkeit des Lebens zu emp- finden, wertvolle Werke der größten Meister zu er- werben, und hatten gelernt, diese Leistungen zu bezahlen. Über Not, wie manche deutsche Maler und Dichter, hatten sich die in Wien Schaffenden selten zu beklagen; eine Ausnahme bildet gerade einer der Besten, Rafael *Donner* (geb. zu Eßling 1693, † zu Wien 1741), der für die einträglichen Aufgaben zu spät kam, und seine reich quellende Begabung nur in wenigen Werken, oft für elenden

Lohn und in schlechtem Material, in Blei oder gar
nur in Wachs, offenbaren konnte. Trotzdem gilt
er mit Recht als der klassische Wiener Bildhauer,
und sein Brunnen im alten Rathaus, sowie besonders der auf dem Mehlmarkt sind, obwohl der
Meister sie nur in Bleiguß ausführen konnte, weltberühmte Werke. Noch sind als Beispiele zu nennen: Tobias Kracker, von dem der Prachtsarg
Josefs I. in der Kapuzinergruft stammt, Ignaz Johann Bendel, von dem die viel zu wenig beachte-
ten meisterhaften Reliefs an der Pestsäule, zahlreiche Arbeiten in Kehlheimer Stein und Elfenbein
erhalten sind, und der auch in Brünn und Prag
tätig war. Als Elfenbeinschnitzer sind noch Simon
Troger und Balthasar Permoser zu rühmen, deren
Arbeiten in Spezialwerken abgebildet zu finden sind;
der letztere hat in Wien u. a. eine schöne Statue
des Prinzen Eugen geschaffen. Lorenzo Mattielli
hat in Wien und Umgebung viele Statuen für
Kirchen und Schlösser gearbeitet, Mathäus Donner,
ein Bruder Raffaels, exzellierte in Porträtbüsten
und Prägearbeiten; der letzte dieser Reihe ist der
in letzter Zeit oft genannte Grübler und Experi-
mentator Franz Xaver *Messerschmid*, der mit seinen
schönen Leistungen, anmutigen Barockfiguren für
Fassaden und Brunnen, nicht zufrieden, seiner Zeit
in Charakter- und Ausdrucksstudien vorauseilte und

als Gegner des aufkommenden Klassizismus 1783 (zu Preßburg) starb.

Unter den Freskanten, denen die Ausschmückung der Wände und Gewölbe, sowie die Durchführung der Altarbilder oblag, stehen der aus der Venezianer Schule hervorgegangene Karl Loth, dann der genannte Peter Strudl und Johann Michael *Rottmayr* (geb. bei Salzburg 1652, † in Wien 1734) am Eingang der Epoche. Von letzterem stammen die Freskomalereien in der Karls- und Peterskirche. Große Massen von schwebenden, segnenden, andächtig aufschauenden Gestalten in wirkungsvollen Gruppen zu disponieren, durch Farbenkontraste, scharfe Beleuchtung zu heben, war seine an römische Meister anklingende Kunst. Dann ist der vortreffliche Maulpertsch und der geschmackvolle Martin Hohenberg, genannt Altomonte (1657 geb., † zu Linz 1745), ein in Italien reich ausgebildeter Maler, viel beschäftigt worden. Daniel *Gran* (geb. zu Wien 1694, † zu St. Pölten 1757) ist vielleicht der eigenartigste, ein Meister des Kolorits, in rosigem Inkarnat, buntesten Gewändern, silbern oder goldig strahlenden Wolken, heiter leuchtendem Himmelsblau schwelgend. Ernster in der Auffassung, dunkler in der Abtönung der Gemälde ist der sog. *Kremser-Schmidt* (1718—1810) (nach dem kleinen Örtchen Krems, wo er wirkte, so benannt) ein

Meister, dem man eben in der jüngsten Zeit gerecht zu werden versucht, in Ausstellungen und Publikationen.

Neben der Freskomalerei und der Behandlung religiöser Sujets für Kirchen und Klöster kam die profane Malerei fast nur als *Porträtkunst* zur Geltung. An der — wie oben erwähnt — durch Peter Strudl begründeten Akademie wirkten berühmte Ausländer, wie Jakob *van Schuppen* (geb. zu Fontainebleau 1669, † zu Wien 1771), und sein Nachfolger Martin *Meytens* (in Stockholm geboren, seit 1721 in Wien), internationale Künstler, die sich aber infolge langjährigen, angenehmen Aufenthaltes in Wien heimisch fühlten. Von diesen Künstlern, zu denen sich noch *Auerbach* und *Loth* gesellen, stammen die meisten Porträte der Herrscher und ihrer Familie, Karls VI., der Maria Theresia, der hohen Adligen. Ihre Werke sind in der pompösen Repräsentionsmanier, mit der virtuosen Behandlung des Stofflichen durchgeführt, wie sie an den berühmten Porträtisten der Pariser Schule geschätzt wurde. Übrigens ließen sich manche Herren, so der in diplomatischer Mission reisende und als eifriger Kunstsammler sich betätigende Graf Bonaventura Harrach, auch von französischen Künstlern, in diesem Falle von Largillière, porträtieren; auch von Rigaud und Nattier, von dem Schweden Alexander Roslin,

JOHANN ZOFFANY: „ERZHERZOGIN MARIA CHRISTINE";
IM BESITZE DES KAISERHAUSES.

der 1778 in Wien weilte, und von Anton Maron,
(einem Schwager des Rafael Mengs, † 1808) gibt es
Familienporträte in Wiener Besitz, und das Bildnis
des Tondichters Gluck am Klavier von *Duplessis*
bildet eine Sehenswürdigkeit des Hofmuseums. Der
berühmte Schweizer Liotard hat mehrmals Wien
zum Schauplatz seiner Tätigkeit gewählt; gerade für
sein populärstes Werk, das „Schokoladenmädchen"
in Dresden, hat ein Wiener Stubenmädchen Modell
gestanden. (Vgl. die Abbildung S. 53.) Auch die
graziöse Madame Vigée-Lebrun hat mehrere Damen
des Wiener Hofes und Hochadels gemalt. Eine vor
drei Jahren im österreichischen Museum abgehaltene
historische Porträtausstellung brachte manches schöne
unbekannte Werk jener Epoche ans Tageslicht.

Eine eigene Position nimmt unter diesen Bildnis-
malern der vortreffliche und originelle Johann
Kupetzky (geb. zu Bösing bei Preßburg 1667, † zu
Nürnberg 1740) ein. Diesem Maler nachzugehen,
wäre eine lohnende Aufgabe. Ich kenne in Privatbesitz Werke von Kupetzky, die ihn hoch über die
Nachahmer der Franzosen und der Van Dyk-Schule
erheben; in einem gesunden, kraftvollen Wahrheits-
sinn, einer farbenfrischen Derbheit trat er dem
Konventionellen entgegen. Im Wiener Hofmuseum
ist sein energisches Selbstporträt zu sehen. Dort
findet man überhaupt die Meister des Wiener Barock

4*

und Rokoko am zahlreichsten vertreten, wenn auch
nicht übersichtlich geordnet: Tüchtige religiöse und
mythische Arbeiten von Loth, Rottmayr, Hohenberg, Gran, Maulpertsch, Troger; brillante Porträte
des Leux von Leuchsenstein, Suttermans, Auerbachs
(Karl VI. im gelbseidenen, goldverbrämten und mit
mattblauen Säumen eingefaßten Prunkgewande, mit
koloristischer Noblesse vorgetragen). Hier ist auch
in einem großen Gemälde von Francisco Solimena
die Szene verewigt, wie Graf Althann dem kunstsinnigen Kaiser das Verzeichnis der in der Stallburg
untergebrachten Gemäldesammlung kniend über-
reicht; und die ersten Anfänge dieser jetzt weltberühmten Galerie, die Brüsseler Sammlung des
Erzherzogs Leopold Wilhelm, findet man, ein paar
Säle weiter, von der unermüdlichen Hand Teniers d. J.
lebendig wiedergegeben. Ferner Porträts von Dichtern und Gelehrten, von J. van Schuppen gemalt,
von Meytens ein drolliges Selbstporträt; die Staats-
bilder der Maria Theresia, mit dem Plane von
Schönbrunn, und des Kaisers Josef II., von Maron;
daran reihen sich entzückend graziöse, an Tonfein-
heit und eleganter Behandlung der Seidenstoffe mit
besten Meistern wetteifernde Familienbildnisse von
Johann *Zoffany*, (der eigentlich Zauffely hieß): die
Familien Toskana, Parma, die Erzherzogin Maria
Christine (s. die Abbildung S. 50). Und den Schluß

bilden, schon in Klassizismus übergehend, die Arbeiten
des Raffael Mengs und der Angelika Kauffmann, die
ja eine geborene Österreicherin war: sie stammt aus
Vorarlberg. Noch wären von Malern, die in Wien
tätig waren, zu nennen: der Holländer Bredael,
der Schlacht- und Jagdbilder schuf und einige Kriegs-
züge des Prinzen Eugen mitmachte; der Pferdemaler
Querfurt, die tüchtigen Porträtisten Unterberger
und Hickel sowie Aug. Friedr. *Oelenhainz*, ein
Württemberger von Geburt, der aber an der Wiener
Akademie studierte und manche bekannte Persönlichkeit porträtierte. Am populärsten wurde sein
Bild „Ein Wiener Stubenmädchen", ein hübsches
Gegenstück zu Liotards Schokoladenmädchen, besonders durch die vorzügliche Wiedergabe in Schab-
kunst-Manier, durch Jacobé (vgl. die Abbildung S. 54).
Auch der Genremaler Janneck, und der vielbeschäftigte
Landschafter Brand, von dessen „Kaufrufen" später
noch die Rede sein wird, dürfen hier nicht vergessen
werden.

IV. KAPITEL

BILDUNG UND KUNSTPFLEGE IN DEN BÜRGERLICHEN KREISEN

EHE ich von Mobiliar, Moden, Kleinkünsten spreche, welche die Anregungen der öffentlichen Kunstpflege auch im bescheidenen Heim des Bürgers widerspiegelten, möchte ich ein Streiflicht auf die geistigen Strömungen jener Zeit werfen. Auch hier gibt es mancherlei Vorurteile zu bekämpfen. Es wird dem Österreich jener Tage zum Vorwurf gemacht, daß jede geistige Bestrebung unter der Aufsicht der Jesuiten in Frömmelei und Aberglauben unterging. Aber analoge Erscheinungen finden sich in anderen Staaten und Städten, in Dresden etwa und München. Auch dort absorbierte das Interesse für künstlerische Betätigung die stärksten Kräfte; und doch bilden gerade die Reliquien der „geistlichen" Epoche den schönsten Schmuck dieser Gegenden. Zunächst war freilich eine Teilnahme an literarischen und wissenschaftlichen Bestrebungen kaum bemerkbar. Ein Prediger, der berühmte *Abraham a Santa Clara,* bildete die markanteste literarische Erscheinung. Er war witzig, phantasievoll, ein Nachzügler der deutschen Volksprediger und Schwankerzähler des 16. Jahrhunderts. Doch sollte sich das Bild rasch ändern. Mit dem Erwachen geistiger Bestrebungen im Norden wuchs auch in Wien das Interesse an Literatur und Wissenschaft, das gerade in den höchsten Kreisen stets rege war; so hatte sich bereits Prinz Eugen mit dem Plane getragen, eine Akademie der Wissenschaften zu begründen — was freilich erst viel später zur Tat wurde — und war mit dem Philosophen Leibniz in Korrespondenz gestanden. Unter Karl VI. waren Oper und Schauspiel die vornehmsten Vergnügungen; leider waren die Autoren, wie Metastasio, und die Komponisten meist Italiener. Die einzige Zeitung war damals das „Wiener Diarium", und ihr Hauptinhalt waren die Nachrichten über Hof- und Adelskreise. Die Lebensweise des damaligen Bürgers schildert ein Wiener Historiograph in folgender drastischen Weise: „Nicht ein städtisches Amt, nicht das Vertrauen der Bürger, der Handwerker gab das größte Ansehen, sondern ein Dienst bei Hofe. Wer einen kaiserlichen Bereiter, einen Lakaien oder gar einen Kammerdiener zum Vetter oder Oheim hatte, galt mehr in der ganzen Nachbarschaft, angesehene

Bürger drängten sich auch um den kleinsten Dienst, das kleinste Titelchen bei Hof und bei dem hohen Adel. Die Formen des höfischen Lebens drangen vergröbert und verzerrt in die bürgerlichen Kreise." (Guglia, Geschichte der Stadt Wien.) — Diese Zustände zeitigten gewiß eine Menge von kleinlichen Charakterzügen, die einem Molière dankbaren Stoff gegeben hätten. Manche Wiener Komödien, auch einige Lustspiele von Kotzebue, die in Wien spielen, verspotten diese sprichwörtlich gewordenen Unsitten, die Titelsucht, Großtuerei oder Kriecherei. Aber man darf nicht vergessen, daß, wo viel Licht ist, es auch an starken Schatten nicht fehlen kann.

Es wäre ungerecht, zu übersehen, daß eben durch die Nähe eines mit bestem Willen alle Bestrebungen, Unternehmungen fördernden Hofes für die Karriere des Einzelnen manche wichtige Entscheidung ermöglicht war. Das zeigen viele aufstrebende Lebensläufe von Wiener Bürgern. Während sich in anderen Gegenden mancher tüchtige Mann vergebens bemühte, vorwärtszukommen, weil es ihm an Mitteln oder Verbindungen fehlte, war in Wien oft eine Bittschrift oder die Fürsprache eines bei Hofe einflußreichen Bekannten genügend, um künstlerische oder industrielle Ideen zum Erfolge zu führen. Schon im Jahre 1717 ermunterte ein

FRIEDRICH OELENHAINZ
„EIN WIENER STUBENMÄDCHEN".
ÖLGEMÄLDE. 1780.

offenes Patent des Kaisers Karl VI. zur Gründung
von allerlei Manufakturen und sicherte den Unter-
nehmern Schutz und Gunst der Regierung — was
den Hofkriegsagenten Du Paquier zur Einführung
der Hartporzellan-Industrie ermutigte —; noch in-
tensiver nahmen sich Maria Theresia und Josef II.
der Arbeitenden an. Die verschiedenen Kuriosi-
tätenbücher, Häuserchroniken usw. wimmeln von
solchen Anekdoten, in denen ein Mitglied des
Kaiserhauses als Schutzengel oder als Deus ex
machina mitten in eine verhängnisvoll scheinende
Affäre tritt. Diese meist bis an den heutigen Tag
im Volksmunde erhaltenen, als Unterhaltungsstoff
beliebten Erzählungen (besonders über Josef II.
gibt es Hunderte von Anekdoten) erinnern oft an
die Märchen von Harun al Raschid und seinen
Inkognito-Wanderungen.

Ich will hier, um nicht weitschweifig zu werden,
nur einen typischen Fall erzählen, der für die
spätere geistige und künstlerische Entwickelung
wichtige Folgen hatte: den Lebenslauf eines energischen Mannes aus der Mitte des 18. Jahrhunderts,
der — wie man es so gern von modernen ameri-
kanischen Milliardären erzählt — als armer Lehr-
bursche barfuß nach Wien kam und als hoch-
angesehener, adliger Mann im eigenen schönen
Hause, dem noch heute (Graben 27—29) den

Namen seines Erbauers kündenden, weitläufigen *Trattner*-Hofe, starb. Er hat sein Emporkommen, abgesehen von der eigenen Tüchtigkeit, nur dem wiederholten tatkräftigen Eintreten der Kaiserin zu verdanken. Als er ausgelernt und in einer kleinen Offizin sich erprobt hatte, trat er kühn mit dem großen Projekt einer umfangreichen Druckerei an Maria Theresia heran; und diese gab ihm aus der Privatschatulle die geforderten 100 000 Gulden. Als nun die große deutsche Literaturepoche begann, und in rascher Aufeinanderfolge die aufsehenerregenden Werke von Gellert, von Klopstock und Lessing (diese beiden sollten sogar nach Wien berufen werden; Lessing, der von Friedrich dem Großen übersehene, wurde hier mit hohen Ehren am Hofe empfangen!), von Wieland, Herder, Goethe und Schiller erschienen, da erteilte die Kaiserin dem Buchdrucker und Verleger Trattner das Privileg, billige Nachdrucke dieser Dichtungen herauszugeben, was den verschiedenen deutschen Verlegern wohl sehr viel Ärger und Schaden bereitete, aber die Kenntnis jener Dichter und der modernen Ideen in Wien auf's lebhafteste förderte. Gewiß ein Beweis, daß man nicht aus Frömmelei das Denken verwehren wollte. Trattner wurde an diesen Nachdrucken ein reicher Mann und konnte sich bald an Stelle des abgebrannten uralten Freisinger

Hofes sein für damalige Verhältnisse riesiges und luxuriöses Zinshaus bauen. — An die eine der mächtigen Karyatidenfiguren am rechtsseitigen Portal, einen Giganten, der dem Beschauer die Rückseite zukehrt, knüpft sich eine Anekdote, die für die derb-humorvolle Art der Wiener Kunstpflege charakteristisch ist. Der über alle Vorurteile sich hinwegsetzende Buchdrucker hatte sich als junger, noch wenig bemittelter Mann in ein hübsches Wiener Komtesserl verliebt, deren Eltern am Graben logierten. Das adelsstolze Fräulein hatte den Freier ,,abgeblitzt'' und dadurch tief gekränkt. Als er aber nach zehn Jahren den Ruf eines der tüchtigsten und reichsten Industriellen errang, als Günstling der Kaiserin vielfach geehrt und sogar geadelt wurde und endlich vor den Augen der Dame seinen imposanten Neubau errichten ließ, da gab das noch immer unvermählte Fräulein ihrem Herzen einen Stoß und ließ dem Herrn *von* Trattner mitteilen, sie wäre jetzt vielleicht nicht abgeneigt. Jetzt aber wollte *er* nicht mehr; und statt jeder Antwort ließ er in übermütiger Laune die Figur vor seinem Hause so aufstellen, daß sie den Fenstern der gealterten Schönen die Kehrseite zuwandte.

Se non è vero, è ben trovato. Die erfolgreichen Unternehmer fühlten sich; sie spielten selbst gern die Mäzene, wie der Großhändler Tost, dem Haydn einige Streichquartette widmete, und der später den jungen Mozart unterstützte, der Industrielle Puchberg, die reichen Seidenfabrikanten und Ärzte. Das bescheidene, stillvergnügte Mäzenatentum wurde überhaupt ein wichtiger Faktor für die Kunststadt Wien und ist es bis auf den heutigen Tag geblieben. Im Leben der meisten Wiener Maler, Bildhauer, Dichter und Musiker spielt so ein begeisterter Kunstfreund (manchmal ist's auch eine Freundin), der im entscheidenden Moment Barmittel, Essen, Wohnung zur Verfügung stellt und an Gesellschaftsabenden die jungen Genies einführt, eine große Rolle. — Der Hof und der Adel gingen stets mit gutem Beispiel voran. Selbst der große Sparmeister Kaiser Franz hatte seine Kunstpassionen. Herzog Albert von Sachsen-Teschen, der Gemahl der ebenso schönen wie edlen Maria Christine (Tochter Maria Theresias), legte die große, nach ihm benannte Kupferstichsammlung „Albertina" an, die der berühmte, eben jetzt durch eine Gedächtnisausstellung gefeierte Held Erzherzog Karl aufs eifrigste vermehrte. Auch der kluge treuherzige Erzherzog Josef unterstützte die Künstler. Die Fürsten Liechtenstein, Kaunitz, Schwarzenberg, Eszterhazy, die Grafen Fries, Czernin und Lamberg sammelten und förderten um die Wette, wo sie nur konnten. Damals —!

WIDMUNGSBLATT MIT BILDNIS DER MARIA THERESIA.
TUSCHZEICHNUNG AUF PERGAMENT,
MIT EIGENHÄNDIGER UNTERSCHRIFT DER KAISERIN 1748.

V. KAPITEL

ALT-WIENER SPEZIALITÄTEN

NEBEN den uneigennützigen Mäzenen sind auch die Kunsthändler zu nennen, die — wenn auch aus Geschäftsinteresse — den Künstlern Verdienst gaben. Sie treten in Wien schon sehr früh auf und spielen besonders als Verleger von Stichen, von illustrierten Flugblättern, von allerhand Stadtansichten und Karten im Wiener Kunstleben eine besonders große Rolle. Die Maler schossen in der üppigen Atmosphäre zu Dutzenden auf; und da nicht alle ihre Bilder verkaufen oder Porträtaufträge erhalten konnten, so wendeten sich viele — als Vorläufer der heutigen Illustratoren und Witzblattzeichner — dem Publikationswesen zu. So haben, um nur die bekannteren Namen zu nennen, Jakob Alt, Höger, Thomas Ender für die Firma Artaria Landschaften gestochen und koloriert; Schwind und Kriehuber, vielleicht auch Pettenkofen arbeiteten anfangs für Trentsensky. Für das Verständnis von Alt-Wien und seiner Kunstentwicklung sind diese

Blätter, vor allem die ausgezeichneten, auch im Auslande geschätzten *Schütz-Zieglerschen* Ansichten, dann die köstlichen Aktualitäten von Hieronymus *Löschenkohl*, (von dem in Kap. 2 des II. Teiles noch ausführlich die Rede ist; siehe auch seinen köstlichen Silhouetten-Stich) ferner die vielen bei Artaria, Paterno, Trentsensky, Cappi, Stöckel und Mollo erschienenen „Kaufrufe", Volksszenen, Krönungsbilder, Veduten und „Bilderbogen" oder „Manderlbogen", ebenso wie später die lithographierten Arbeiten, die Porträts von Kriehuber, Prinzhofer, Stöber, die vielen Landschaftsbilder, die Schabblätter der Schmutzer (1733—1811), Pichler (geb. Bozen 1766, gest. 1807), die Kupferstiche von Molitor (1759—1812), Josef Fischer (1796—1722), Mößmer (1880—1845), David Weiß (1775—1846), Karl Heinrich Rahl (1779—1893, der Vater des Freskomalers), Laurenz Janscha 1746—1812) usw. von der größten Wichtigkeit. Dem großen Publikum sind sie wohl weniger bekannt, aber die Viennensia-Sammler, deren es hier mehrere namhafte gibt, schätzen diesen Kunstzweig besonders, und auch auf auswärtigen Auktionen, namentlich in London, erzielen die guten Arbeiten, z. B. die von Schütz und Ziegler, ziemlich hohe Preise. Es wird später noch an mehreren Stellen von diesem noch zu wenig bekannten Alt-Wiener Kunstzweige die Rede sein müssen.

Diejenigen Alt-Wiener Spezialitäten, welche gerade in der letzten Zeit wieder besondere Beachtung gefunden haben, sind die *Porzellan*erzeugung und die *Miniaturmalerei*. Die erstere hat ihren Ursprung, wie schon erwähnt, in der von Karl VI. begünstigten Unternehmung du Paquiers, der zuerst den in Meißen mit Erfolg experimentierenden Emailleur und Vergolder Hunger herbeiholte, dann — nachdem er 1718 das Privilegium erhalten und in dem Kaufmann Peter einen Finanzmann akquiriert — den Werkmeister Stölzel gleichfalls aus Meißen wegfischte. Dafür ist der biedere *Herold*, der als erster die Chinoiserien auf Porzellan malte, 1720 heimlich nach Meißen durchgebrannt. Die 1904 abgehaltene Alt-Wiener Porzellanaustellung führte in reicher, wenn auch nicht lückenloser Auswahl die großartige Entwicklung dieses fürs 18. Jahrhundert und seinen Geschmack so charakteristischen Kunstgewerbezweiges vor, und ein umfangreiches Spezialwerk mit vielen Illustrationen hat die Ergebnisse festgehalten. — Die Einführung des „deutschen" Blumenschmucks, des sog. „Laub- und Bandlwerks", kennzeichnet die erste Blüteepoche. Die sorgfältige und geschmackvolle Behandlung des Dekors wie die Feinheit der Pâte zeichnen diese Erzeugnisse aus und stellen sie neben die besten Arbeiten der Meißner Manufaktur. 1744 ging die

Fabrik in den Besitz des Staates über. „In den Formen beginnt das Muschelwerk, das plastische Rocaillemotiv, oft in Purpur und Gold gehöht, zu dominieren, figurales Beiwerk an Vasen, Terrinen, Uhren wird häufiger, das Flachrelief tritt als bezeichnendes Element zur Malerei hinzu. Im malerischen Dekor werden die zierlichen Veduten, Seeufer, Hafen- und Parklandschaften mit ihren winzig kleinen Figürchen von Meißen übernommen, ebenso die Reitergefechte und Jagden. Watteaufiguren, Typen und Szenen aus dem bürgerlichen und bäurischen Leben, sowie Kinderfiguren bilden beliebte Schmuckmotive." (Folnesics.)

Die weitere Ausbildung erfolgt im Sinne des Naturalismus. Einen besonderen Aufschwung nahm die Fabrik unter Josef Wolf (seit 1758) besonders in der figuralen Plastik; während des Siebenjährigen Krieges gewann sie der Meißener manchen Vorsprung ab. (Vergleiche die zierliche, charakteristische Gruppe auf der Abbildung) — Technische Verbesserungen zur Erzielung einer schönen weißen, bei größter Leichtigkeit doch kräftigen Masse, zunehmender Reichtum bereiten die *Sorgenthalsche Glanzperiode* vor. Dieser Direktor war von ehrlichem Kunsteifer beseelt. Die herrlichen leuchtenden Farben in der Bemalung (Leithners Kobaltblau, die braunen und violetten Lüsterfarben), Hochgolddekor, die reizvollen Muster, die

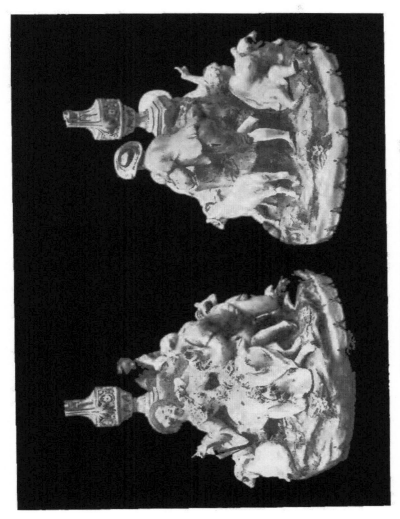

ALT-WIENER PORZELLANGRUPPE, UM 1760.

(VORDER- UND RÜCKANSICHT.)

allmählich den Charakter des Louis XVI. und Empire annehmen, machen die Service aus dieser Zeit zu hochgeschätzten Kleinodien. Und die figuralen Arbeiten rangieren durch Eleganz der Modellierung, Anmut der Gruppenbildung, Charakteristik der Bewegungen und des Ausdrucks als wirklich hervorragende Kunstwerke. Unter den Malern der Fabrik findet man gegen Ende des Jahrhunderts berühmte Namen, wie Moriz Michael *Daffinger*, Lorenz *Herr*, Josef *Nigg*, unter den Bildhauern *Beyer* (seit 1767) und *Grassi*. Noch am Anfange des 19. Jahrhunderts, in der Biedermeierepoche, stehen die Leistungen der Fabrik auf der Höhe; besonders in den mit allerhand Ansichten und Allegorien bemalten Tassen offenbart sich der intime, schwärmerische Geist dieser Zeit in sympathischer Weise, während der klassizistische Charakter der figuralen Arbeiten diesem zierlichen Material weniger entspricht, als etwa der Bronze. An den Biskuit-Porträtbüsten, in denen namentlich der Bildhauer Elias *Hütter* (bis ca. 1850) exzellierte, können wir wenig Gefallen finden. Und 1863 bereitete ein Parlamentsbeschluß der ruhmreichen Manufaktur ein jähes Ende.

Wenn in der Porzellankunst das Alt-Wien mächtige Rivalen an Meißen, Nymphenburg, Sèvres, Wedgewood usw. besaß, so entwickelte sich die *Miniaturmalerei* hier gegen Ende des 18. und Anfang des

19. Jahrhunderts bis in die dreißiger Jahre zu einer an malerischer Feinheit, Schwung, Geschmack und Popularität unerreichten Spezialkunst. Die Vorgeschichte dieses Kunstzweiges, der ja auch in Italien und Deutschland, namentlich aber in England und Frankreich wundervolle Blüten trieb, kann man über die niederländischen Porträtisten auf die Zeitgenossen Holbeins, Fouquets usw., ja bis auf die Buchminiaturisten des Mittelalters und des Orients zurückverfolgen. Für die Wiener Kunst ist wichtig, daß hier zuerst die Liebhaberei aus den reichen Adelskreisen in das Bürgertum, in die Familie sich verbreitete. Die Übung im Zeichnen und Malen, welche bald zur höheren Bildung ebenso notwendig erschien, wie die häusliche Musikpflege, die Beherrschung eines Musikinstruments, die vielen Anregungen, welche von der Akademie einerseits, von der Porzellanmalerei andererseits ausgingen, beförderten diesen Zweig einer charmanten Kleinkunst, und als die Mode aufkam, statt mit Ölfarbe auf Metall, in einer Aquarelltechnik mit eigenen leuchtenden Farben auf dünne Elfenbeinblättchen die Porträte zu malen, da hatte die Miniatur-Porträtkunst bald eine Popularität erreicht, die man erst heute richtig übersehen und abschätzen kann; denn trotzdem heute Dutzende von enragierten Sammlern mit schwärmerischem Eifer und namhaften Geldmitteln

schon viele Hunderte solcher Bildchen in ihren Kollektionen vereinigt haben, findet sich doch von Tag zu Tag wieder irgendein noch unbekanntes hübsches Stück. Fast alle Alt-Wiener Maler, selbst Waldmüller, Gauermann, Ender, Decker haben neben dem großen Porträt auch die Miniatur gepflegt, und als vor mehreren Jahren eine geschickt arrangierte Ausstellung einen Überblick über das Beste (soweit es damals schon bekannt war) gab, da war des Staunens und Entzückens über all den Geschmack, die Kunstfertigkeit und Lieblichkeit kein Ende. — Von den Hauptmeistern der Miniaturmalerei soll später noch die Rede sein, weil die Blütezeit in eine nachfolgende Periode fällt.

Man darf sich also das Heim des Wiener Bürgers gegen Ende des 18. Jahrhunderts als ein hübsch möbliertes, in vereinfachtem, den praktischen englischen Formen angepaßtem Barock gehaltenes vorstellen, mit Bildern und Stichen an den Wänden, allerhand Teppichen, Stickereien und sonstigem Zierat. Auf Kommoden und in Vitrinen standen die schönen Service und figuralen Stücke der Porzellanmanufaktur; der Jahresumsatz der Fabrik belief sich 1783 auf 100000 fl., von denen 20000 fl. auf das gesamte Ausland entfallen, was auf die überaus große Nachfrage im Inland und speziell in Wien rückschließen läßt.

5*

Auch die hübsche Mode der *Porträt-Silhouette,* die
nach französischem Vorbild in England und besonders
im rheinischen Deutschland aufkam, fand hier bald
Eingang; der verdienstvolle Direktor des Brünner
Gewerbemuseums, Julius Leisching, hat eine lehr-
reiche Ausstellung veranstaltet und die Ergebnisse
in einer Publikation niedergelegt. Weniger sichere
Anhaltspunkte über die Leistungen jener Epoche hat
die im Österreich. Museum abgehaltene *Gold- und
Silberschmiedeausstellung* geboten; es ist eben wenig
von den gewiß vortrefflichen Arbeiten auf diesem
Gebiete erhalten geblieben, da in den folgenden Tagen
der Kriegsnot vieles weggeschleppt oder einge-
schmolzen wurde. Auch bei der Aufhebung von
Klöstern ist vieles in Verlust geraten. Doch zeigen
die erhaltenen Stücke, sowohl die Kirchengeräte, wie
die Tafelstücke, Reiseservice, Toilettegarnituren,
gediegene Arbeit und geschmackvolle Formen. Eine
reiche Ausbildung erfuhr weiter durch die vielfache
Verwendung von eisernen Portalen, Gartentoren,
Balkonen, Emblemen usw. die Schmiedekunst, die an
Vollendung mit der französischer Meister wetteifert.
Endlich wäre von den künstlerischen Leistungen
auf dem Gebiete der *Textilkunst* zu sprechen, wie
sie auf der Maria-Theresia-Paramentenausstellung
(Mai 1904) im prächtigen, 1773 durch Johann
Bergl ausgemalten Augustinersaal auch dem größeren

SILHOUETTE-STICH VON *HIERONYMUS LÖSCHENKOHL.*

AUS DEM JAHRE 1780.

Publikum bekannt wurden. Besonders die Kaiserin
Maria Theresia, die, wie die meisten Habsburger, starke
künstlerische Begabung besaß, nahm sich dieses —
für weibliche Kunstfertigkeit weiten Spielraum lassen-
den — Gebietes eifrig an. 1749 wurde die Einfuhr
fremder Seidenstoffe untersagt; die Kaiserin selbst
trug, wie Savarys „Dictionnaire du commerce" berichtet, fast nur einheimische Stoffe. Die reichsten, mit
Gold und Silber durchwirkten Stoffe wurden hergestellt. Die Wiener Stickerei hob Ch. G. de Saint-Aubin
in dem Werke „L'art du brodeur" 1770 als besonders
hochstehend hervor. Seiden-, Flachstich, Stramin-
und Goldstickerei, Verwendung von abschattierten
Passementerie-Schnürchen, Applikationen usw. wurden eifrig geübt, wobei die hohe Frau selbst als
Vorbild leuchtete, und die Motive zeigen durchweg
eine selbständige, schöpferische Fortbildung der im
Barock und Louis XVI. gebotenen Formen.

Von der Elfenbein- und Meerschaumschnitzerei
war schon früher die Rede, ebenso von den kunstvollen, mit reicher Schnitzerei und Bronzen ge-
schmückten Arbeiten der Tischler. Eine in letzter
Zeit von Museen und Sammlern viel beachtete Alt-
Wiener Spezialität bilden auch die meist sehr
geschmackvoll ausgestatteten Neujahrskarten, die
mit Stichen, Zeichnungen, aufgeklebten Blumen-
mustern geziert, oft Kunstwert besitzen. — Auch

auf Visitkarten, allerhand mit Glas und Rahmen versehene Souvenirs, wurde viel künstlerische Begabung und Eifer verwendet. — So ist auf allen Gebieten des öffentlichen und privaten Lebens eine in friedlichem Eifer erreichte Kultur zu konstatieren, die üppige künstlerische Blüten zeitigte und in der nachfolgenden Epoche trotz ungünstiger politischer Ereignisse und bedrohlicher sozialer Krisen, trotz Kriegsnot und empfindlicher Einbuße an Macht und Vermögen, doch unter dem Einfluß der von allen Seiten eindringenden neuen Ideen aufs intensivste weiterwirkte.

Die Größe und Bedeutung der im 1. Teil unseres Buches geschilderten Alt-Wiener Kunstblüte (von 1700 bis etwa um 1790) ist noch lange nicht nach Gebühr gewürdigt. Wer sie richtig verstehen und sich an ihr erfreuen will, muß seine Studien an Ort und Stelle vornehmen. Der monumentale Charakter der österreichischen Barockkunst kann weder durch vereinzelte Museums- und Ausstellungsobjekte (Gemälde, Statuetten, Porzellangeräte z. B.) noch durch photographische Wiedergabe auch nur andeutungsweise vorgeführt werden. Die Wahl des Bauplatzes, das Mitsprechen des landschaftlichen Elements, die Größenabmessungen, die Silhouettenwirkung lassen sich nur vor dem Original begreifen und würdigen. Und gar die Qualitäten der zur

Ausschmückung verwendeten Fresken, der Decken-
und Wandgemälde, der Plastiken, Stukkaturen,
Bronzen, Stickereien, sind nur im Zusammenhange
mit dem stilistisch einheitlichen Gesamtwerk zu erkennen. — Immerhin darf man hoffen, durch ein
illustriertes Werk, wie das vorliegende, zu eingehen-
dem Studium anzuregen und einiges zum Verständnis
beizutragen.

Leichteres Spiel hat der Schilderer bei der folgenden Biedermeierzeit, die ja viel breitere Kreise
mit ihrem eigenartigen Kunstempfinden anregte,
auch der Denkungsweise unserer Zeit literarisch
und künstlerisch viel näher steht und sich deshalb
gerade jetzt größter Popularität erfreut. Die welt-
bekannten Namen von Grillparzer, Raimund, Lenau,
von Mozart, Beethoven, Schubert, von Waldmüller,
Daffinger, Danhauser, Schwind, von Burgtheater-
Koryphäen, Walzerkönigen und Tanzgöttinnen kenn-
zeichnen eine ganz einzigartige Epoche, in der
geistige Vertiefung, Schwärmerei, Naturliebe, Ver-
ehrung der Frauenschönheit sich zu einem so ge-
schlossenen, reizvollen Zeitbild vereinigen, wie sie
der Historiker in der Flucht der Jahrhunderte nur
selten aufzuzeigen vermag.

II. TEIL

ONKEL BIEDERMEIER

1800—1850

FERD. G. WALDMÜLLER, BILDNIS SEINER MUTTER.

MODERNE GALERIE, WIEN.

I. KAPITEL

DER POLITISCHE UND GESELLSCHAFTLICHE HINTERGRUND

VORBEREITET wurde die in Literatur, Musik und Kunst hervorragende und heute neuerdings hochgeschätzte Epoche des biedermeierischen Alt-Wien durch die allen freiheitlichen Ideen und aller geistigen Arbeit so liebevoll gesinnte Regierungstätigkeit des Kaisers Josef II. Eine „Revolution von oben" könnte man mit einem in jüngster Zeit geprägten Schlagwort die einschneidenden Reformen bezeichnen, die Josef, selbst ein Anhänger der Aufklärung, der Freiheit und Gleichheit, ein Verehrer des dritten Standes, „Schätzer der Menschheit" — wie er sich gern auf Inschriften nannte — oft zum größten Entsetzen des Adels und der Geistlichkeit mit leidenschaftlichem Eifer durchzuführen suchte. Man weiß, daß viele von seinen Neuerungen in der nachfolgenden Zeit wieder abgeschafft wurden; in mancher Hinsicht ist er ja vielleicht auch zu radikal gewesen. Gewiß ist, daß er Tausenden Ängstlicher und Unterdrückter die Hände befreite, die Zunge löste. Ganz Europa sprach von seiner geistvollen, impetuosen Persönlichkeit. So sehr auch die erschreckenden Vorgänge in Paris die Geister beschäftigten, so brachten doch alle Gazetten jener Tage ausführliche Berichte über Josefs II. Reformen, seine Art zu leben und zu wirken, dazu politische, soziale, moralische Abhandlungen. — Als im Sommer 1905 das Museum der bedeutenden nordböhmischen Industriestadt Reichenberg eine Kaiser-Josef-Ausstellung veranstaltete, da zeigte sich eine so intensive Teilnahme der Bevölkerung, da kamen so zahlreiche wertvolle Kunstdokumente aus jenen Tagen zum Vorschein, daß man von der mächtigen Nachwirkung dieser bewundernswerten Erscheinung über ein volles Jahrhundert hinaus eine imponierende Vorstellung bekam. Das Bildnis des Kaisers in den verschiedensten Auffassungen und Techniken, von in- und ausländischen Künstlern hergestellt, die Abbildungen seiner wichtigsten Taten und der charakteristischen Szenen füllten mehrere Säle.

Was in anderen Ländern erst mit Blut und Schweiß erkämpft werden mußte, wollte er seinem Volke aus freien Stücken geben. Und wenn auch das Wenigste endgültig zur Durchführung kam, so hat doch der Schimmer von Größe, Freiheit und

Selbständigkeit die Werke der Folgezeit verklärt und dem Widerstand gegen hemmende Fesseln, gegen die Zensur z. B., kräftige Nahrung gegeben. Die Einigkeit zwischen Regierung und Volk, die zeitweilige geistige Freiheit, die erst aus Angst vor den Schrecken der Revolution, als man den an Erhaltung des Bestehenden interessierten Mächten des Feudaladels und der Geistlichkeit wieder alle Vorrechte einräumte, eingeschränkt wurde, erweckten die Teilnahme jedes Einzelnen an den Fragen der Zeit. Und wenn die Folgezeit nicht gar so traurige Ereignisse, vor allem die Invasion der Franzosen unter Napoleon und den Staatsbankerott (1811), gebracht hätte, verwirrende, einander überstürzende Vorgänge, denen der schlichte Geist des in bürgerlichen Tugenden erzogenen Kaisers Franz nicht gewachsen war, so hätte Wien in den ersten Jahrzehnten des 19. Jahrhunderts eine klassische Kunstblüte erlebt. Nun muß man mit den bescheidenen, halb im verborgenen erblühten Veilchen vorlieb nehmen, die in unserer nervös überreizten Zeit die Feinschmecker als raffiniertesten Modezauber herausgesucht haben.

Onkel Biedermeier! Dieser sparsame häusliche Mann hatte sich überall Geltung verschafft, wo man von übergroßen, himmelstürmenden Unternehmungen mit zerschlagenem Kopf und verbrannten

Fingern heimgekehrt war. Auch im Paris der katzenjämmerlichen Abrechnung ging er mit seinem großen Parapluie spazieren. Auch dort war es für die jungen Genies eine böse Zeit, die uns Musset in seinen „Confessions d'un enfant du siècle" ergreifend schildert. In Wien gab es doch wenigstens einige Momente der Erhebung: die glänzende Versammlung von Vertretern aller Mächte beim „Wiener Kongreß" (1814), die Begeisterung der Freiheitskriege. Und wenn es uns auch heute scheint, daß in Regierung und Mode der Onkel Biedermeier allein diktierte, so war das in Wirklichkeit nur die äußere Form, das Kostüm, die Maske. Wie ja auch der weltberühmte blaue Frack Werthers eine Brust voll leidenschaftlicher, revolutionärer Gefühle umschloß. Vielleicht ist es gerade der Kontrast zwischen dem freieren, an der stolzen Vergangenheit groß gezogenen Geist und dem anspruchslos altväterischen Gewande, der uns an den Werken jener Zeit so entzückt. Im Leben aller Schaffenden offenbart sich dem tiefer eindringenden Beobachter ein vehementer Kampf zwischen innerem Antrieb und äußerer Vorschrift; bei Grillparzer, Waldmüller, Schwind zeigt er sich besonders lebhaft. Und doch war das, was sie als Freiheit erträumten und schufen, so ungefährlich liebenswürdig, so charmant individuell. Das Sonnenlicht,

F. H. FÜGER, AQUARELL-MINIATUR.

das „Pleinair" in den Gemälden des Bahnbrechers
Waldmüller, umflutet es nicht eine Welt der zartesten Poesie, des innigsten Heimatsgefühls, der
reinsten Menschenliebe?

* * *

Die verbindende Brücke von der im selbständig
erfaßten Barock sich bewegenden Wiener Kunst des
18. Jahrhunderts zu der Biedermeierkunst schlug die
kurzdauernde Mode des *Klassizismus*, des *Empire*.
Sie fand in Wien nicht so viel zu bekämpfen, als
in anderen Gebieten — denn man hatte hier schon
längst die *wuchtige Sprache einfacher Formen* gesucht
—, andererseits konnte hier niemals eine so nüchtern
verstandesgemäße Pflege des vermeintlich Antiken
sich breit machen, wie im nördlichen Deutschland;
die eingewurzelte Geschmacksbildung und die voll-
saftige Lebensweise hätte das nicht gelitten. Immerhin sind einige stattliche Bauten, das äußere Burgtor,
die Paläste der Grafen Fries, Pallavicini, auch viele
Bürgerhäuser in dieser Stilart entstanden. Eine der
schönsten Plastiken Wiens, das Grabmal der Erzherzogin Marie Christine in der Augustinerkirche, ein
Hauptwerk Antonio Canovas, viele kleinere Arbeiten
italienischer Klassizisten sind zu nennen; von den
Wiener Bildhauern dieser Epoche ist vor allem der
tüchtige *Zauner* hervorragend, der an der Akademie

wirkte; am bekanntesten ist sein Denkmal Kaiser Josefs II., in antikem Gewande, zu Pferd, mit der Rechten sein Volk segnend. Eine weitergehende Wirkung auf den Geschmack haben diese Arbeiten nicht ausgeübt, wenn auch in manchen kunstgewerblichen Objekten, in Mobiliar, Tafelgeräten und Nippessachen sich Anklänge an ihre Formen finden.

Auch in der Malerei war der Klassizismus strenger Observanz nicht erfolgreich. Wohl hat Heinrich F. *Füger* (1751—1818), der, aus Deutschland nach Wien gerufen, die Akademie leitete, eine Menge griechischer und römischer Historienbilder in einer glatten, an Jacques Louis David, Mengs und Angelika Kauffmann anschließenden Manier gemalt und auch andere Künstler — Abel z. B. — mit sich gezogen; das war seine „akademische" Tätigkeit. Viel größer als im Heroischen ist er in der *Porträtkunst* und gerade im *Miniaturbildnis*, wo seine angeborene feine Begabung unter dem Geschmack seiner Auftraggeber sich zu einer unvergleichlichen Delikatesse entwickelte. Auf der Jahrhundert-Ausstellung zu Berlin haben seine Bildnisse ihre Auferstehung gefeiert; seitdem jagen die Sammler und Kunsthändler nach diesen Werken wie nach Gemälden von Reynolds. Das Urteil Tschudis in der Einleitung des Jahrhundert-Werkes ist bezeichnend: „Mag er (Füger) auch als Maler großer historischer oder allegorischer

JOH. BAPT. v. LAMPI, PORTRÄT DES BILDHAUERS ANTONIO CANOVA.

AKADEMISCHE GALERIE.

Kompositionen vor dem Forum der Kunstgeschichte ein unrettbar verlorener Mann sein, die Porträts der Ausstellung zeigen ihn von einer besseren Seite. Dem schwäbischen Pastorssohn, dem Enkelschüler von Mengs und Schüler von Oeser, war doch so viel von jener lebensfrohen Anmut der Kaiserstadt angeflogen, daß sich der trockene Klassizismus seiner Vorbilder zu einer spielenden Empiregrazie verfeinerte." Das entzückende, an Reynolds Mrs. Siddons erinnernde Bildnis der Gräfin Bellegarde (in der Wiener Akademie), in weißem Gewande mit purpurrotem Mantel, im Freien sitzend; das in zartesten Übergängen von silbergrau zu braunrot abgestimmte Porträt einer Prinzessin von Württemberg, das in der Wiener Porträtausstellung auftauchte und — leider — von einem Pariser Kunsthändler für eine hohe Summe entführt wurde; das graziöse, auf der Berliner Ausstellung viel bewunderte Bildnis der Fürstin Galitzyn und ein neuerdings dem Wiener Hofmuseum einverleibtes Porträt seiner schönen Gattin (das der Leser als Titelblatt des II. Teiles in vortrefflicher Heliogravüre wiedergegeben findet; es ist hier zum erstenmale publiziert!) geben Kunde von einer schönen Geschmackskultur, die ebenso über die in gebrochenen Halbtönen schwebenden Nuancen der besten Fragonards im Louvre, wie über die sanfte Tonskala der englischen Meister, Reynolds etwa, verfügt. J. B. von *Lampi* der ältere (1751—1830), ein Südtiroler, der als Porträtist des Hofes und der Notabilitäten eine erste Rolle spielte und gern „Chevalier de —'' signierte, erscheint daneben leer und pomphaft, wenn auch korrekt und nobel (wir zeigen hier von ihm das Porträt des berühmten Bildhauers Canova, und ein bisher unveröffentlichtes Werk aus dem Badener Rollett-Museum); ja, *Lawrence*, der Liebling der Kongreßherrschaften, von dem unser Hofmuseum jetzt zwei Hauptstücke birgt, das Porträt des Reichskanzlers Metternich und seiner ätherisch-graziösen, früh verstorbenen Tochter (als Hebe dargestellt, schwebend, die Schale kredenzend, mit dem Adler des Zeus), wird im Vergleich zu diesen Arbeiten Fügers zum süßlichen Schmeichler.

Ein wenig Schmeichelei und Schönfärberei haftet wohl allen Produkten der damaligen Porträtkunst an. Es ist kaum glaublich, daß wirklich alle Damen in jener Zeit so engelhaft schön waren, und daß alle Herren in so tadelloser Eleganz, so ritterlichen Allüren erschienen, wie auf diesen Porträten. Einer der feinsten Schmeichler, der alle Schönheiten und Berühmtheiten der Kongreßzeit malte, war Moriz Michael *Daffinger*, von dem später, in einer speziellen Übersicht der Miniaturmaler, noch die Rede sein soll. Aber auch die derberen, aus der Mitte des Volkes erstandenen Elemente, die sich der Pflege von

LAMPI D. AE.: ANTON FRANZ ROLLETT
(DER VATER DES DICHTERS HERMANN ROLLETT).
STÄDTISCHES MUSEUM IN BADEN BEI WIEN.

Genreszenen, der Darstellung von Bauern oder Soldaten zuwandten, zeigen sich von diesem Streben
nach Schönheit beherrscht; so der köstliche Fendi, der
drollige Karl Schindler, der lehrhafte, elegante Danhauser, ja auch Schwind und Waldmüller in ihren
Anfängen. Die Gesellschaftsszenen des ersteren
zeigen nur holdverklärte Weiblichkeit in spielend
graziöser oder anmutig schmachtender Pose; und
Waldmüller bekannte selbst, daß ihm erst die Verpflichtung der Naturtreue klar wurde, als er beim
Porträtieren einiger alter Damen das Charakteristische dieser vom Leben geformten Züge, der
Falten und Runzeln erkannte. Die Grabschrift, die
Grillparzer für Daffinger aufsetzte, hat typische
Geltung für die Tendenzen der damaligen Kunst-
übung: ,,Einer der begabtesten Maler seiner Zeit.
Im Menschenantlitz und in der Blumenwelt suchte
er einzig *die Natur,* und *er fand sie, aber in ihrem
Brautschmuck als Kunst.*"

Zartheit der Empfindung, Ritterlichkeit gegen die
Frauenwelt sind einer der schönsten Charakterzüge
in dem Gesellschaftsleben des vormärzlichen Wien.
Wenn man vergleicht, welche Rolle die Frau in der
französischen oder spanischen Welt um die Wende
des 18. Jahrhunderts spielte, als an die Stelle des
mondänen Rokokopüppchens oder der ehrgeizigen
Maitresse die blutdürstige Furie racheheischend trat,

6*

und die Zügellosigkeit der Sitten als Resultat der
Aufklärung galt, so wird man die strenge Zucht,
die Heilighaltung der Familienbande im Wiener
Bürgertum preisen dürfen, ohne als moralisierender
Doktrinär zu erscheinen. Die patriarchaliche Lebensweise des Hofes gab das Vorbild. Dennoch war die Bevölkerung nicht zu spießbürgerlicher Einschränkung
geneigt. In der Stadt, in der so viele Feste, Bälle,
Maskeraden abgehalten wurden, in dem mehrere
große Theater — neben dem Burgtheater gab es
schon drei in den Vorstädten, in denen Singspiele,
Komödien und Zaubermärchen aufgeführt wurden
— einen ständigen Stab von Schauspielern beschäftigten, blieb dem Spiele der Liebesempfindungen
die größte Freiheit. Besonders den Künstlerinnen
war vieles gestattet, ohne daß sie deshalb von
der Gesellschaft ausgeschlossen gewesen wären. Im
Gegenteil, man verfolgte die Herzensaffären dieser
Lieblinge mit einer herzlichen Teilnahme, und oft
waren Beifall oder Mißfallensäußerungen im Theater
die Folge der bekannt gewordenen Privataffären.

Schon zu Ende des Jahrhunderts und besonders
in den folgenden Jahrzehnten gab es mehrere Zirkel,
in denen Musik, Literatur und Kunst mit Hingebung
gepflegt wurden. Die Familien Kaunitz, Kinsky
und Eszterhazy, der russische Gesandte Graf Rasu-
moffsky, der sein Palais auf der Landstraße erbaut

hatte, später auch Graf Lanckoronski eröffneten ihre Salons nicht nur für die Vertreter patriotisch-politischer Bestrebungen, sondern auch für die Literaten, unter denen sich berühmte Deutsche, wie die Brüder Schlegel, Adam Müller, Zacharias Werner befanden, für die Musiker und Maler. Eine große Rolle im künstlerischen Leben spielte das Haus der Dichterin Karoline *Pichler*, wo Clemens Brentano, Theodor Körner, die ersten Burgschauspieler verkehrten. Freiherr von Spaun, die reichen Seidenfabrikanten vom Brillantengrund, die Ärzte und Advokaten pflegten die Geselligkeit und die Künste. In vielen Gemälden, Zeichnungen und Stichen, besonders bei Danhauser (Liszt am Klavier) und Schwind (Schubert-Abend bei Frhrn. von Spaun usw.), spiegeln sich diese gesellschaftlichen Zustände.

II. KAPITEL

DAS ALT-WIENER SITTENBILD

ALS die feinste Blüte der Alt-Wiener Kunst darf man das Sittenbild betrachten. Wohl hatte das Porträt eine größere Verbreitung, wurde emsiger gepflegt. Aber bei der enormen Inanspruchnahme der beliebteren Künstler stellte sich neben den Vorzügen, die eine ständige Übung mit sich führt, auch bald die Schablone ein. Die Zahl der im alten Wien hergestellten Porträts, in großem und kleinem Format, geht hoch in die Tausende. Dabei haben alle diese Bilder ein gewisses Niveau, etwa wie die meisten Arbeiten der italienischen oder holländischen Blütezeit, auch wenn sie von minderen Meistern herrühren, doch die famose handwerkliche Schulung der ästhetisch hochstehenden Epoche aufweisen. Heute, wo man diesen Werken nachgeht, bringt jeder Tag einen neuen Fund ans Licht, und da die meisten Bildnisse unsigniert sind, viele auch mit bisher unbekannten oder wenig bekannten Namen bezeichnet erscheinen, so hat

sich das lebhafte Bedürfnis nach einem verläßlichen Lexikon der Alt-Wiener Meister herausgestellt, das uns einer der vielen eifrigen Museumsleute hoffentlich bald schenken wird. Vorläufig ist auf diesem Gebiete der Phantasie allzuviel Spielraum gelassen; abgesehen von jenen spekulativen Händlern oder Amateuren, die ihrer Ware gern den höchsten verfügbaren Titel beilegen, und jedes korrekt gezeichnete Bildnis schon dem großen und — heute — hochbezahlten Waldmüller zuschreiben, oder wenigstens als Eybl, Amerling, Danhauser bezeichnen, erfordert auch die Gewissenhaftigkeit des Sammlers, Museumsleiters, Gelehrten eine feste Handhabe für die Zuschreibungen an die Genannten, oder an Swoboda, Mayer, Mansfeld, Saar, an die Maler zweiten und dritten Ranges.

Porträte haben damals fast alle Künstler gemalt, ob sie nun der Gruppe der Genremaler, — wie Waldmüller, Danhauser, Fendi, — oder den Nazarenern, wie Führich, Steinle, Kupelwieser, oder den Romantikern, den Landschaftern usw. nach der Stärke ihrer Produktion zuzuschreiben sind. Erst die Erfindung der Photographie hat diese Kunsttätigkeit beiseite gedrängt. Es erscheint mir deshalb zweckmäßig, vorerst die verschiedenen genannten Richtungen in der Alt-Wiener Kunst zu schildern, und zunächst die *Sittenmalerei*.

Auch hier ist es notwendig, den Zusammenhang mit dem 18. Jahrhundert herzustellen und nicht — wie es bisher immer geschah — diese Kunstübung als eine plötzlich auftretende und zum Teil von englischen Vorbildern wachgerufene hinzustellen. Wohl hat die Begabung z. B. Danhausers durch eine mit seinem Mäzen, Herrn von Arthaber, unternommene Reise nach Holland starke Anregungen, besonders für koloristische Verfeinerung, erhalten. Aber sein *Ausgangspunkt war die Wiener Tradition.* Und zwar nicht die Tradition der Akademie; dort wurde unter Quadal, Lampi, Maurer, Füger eine historische, ideale Richtung gepflegt. Was der Wiener Sittenmalerei das *richtige Stoffgebiet* und die *erforderliche Popularität* gab, war *das ganz eigenartige, bodenständige Publikationswesen.*

Es war schon früher von den verschiedenen publizistischen Unternehmungen, sowie von dem Wirken der Kunsthändler im Alten Wien die Rede (Seite 61 ff.). Die erste literarische Zeitschrift gab 1762 der Korrektor der erwähnten Trattnerschen Buchdruckerei, Christian Gottlob Klemm, unter dem recht modernen Titel „Die Welt" heraus. Eine zweite Zeitschrift „Der Patriot" war mehr eine Nachahmung englischer Wochenschriften. Dann gab der berühmte Sonnenfels, der an der Begründung des Burgtheaters so wichtigen Anteil hat, den „Vertrauten" und von 1766 an den „Mann ohne Vorurtheil" heraus. Eine „Realzeitung", „k. k. privilegirte Anzeigen", „Gelehrte Nachrichten" folgten. Diese Publikationen waren anfangs ohne Illustrationen ; erst lange nachher haben die Blätter, namentlich die „Theater-Zeitung", Auers „Faust", die „Briefe des Eipeldauer an seinen Herrn Vetter in Kagran" (eines der populärsten Blätter) sowie die zahlreichen beliebten Almanache: Aglaja, Thalia, Urania usw., Bilderbeilagen mit Genredarstellungen, Szenen- und Kostümbildern, Modekupfern, Karikaturen in Stich, Radierung, Lithographie gebracht, die heute als wertvolle Dokumente geschätzt werden. Daneben hatten aber die geschickten und findigen Talente einen eigenen Erwerbszweig geschaffen. Der in Holland gebildete Landschafter Brand schuf 1740 in den berühmt gewordenen „Kaufrufen" — in Stich wiedergegebenen Typen der verschiedenen Verkäufer, Händler — eine viel nachgeahmte Kunstspezies. Einer der vielseitigsten Künstler, der in letzter Zeit durch mehrere verauktionierte Sammlungen bekannter gewordene Löschenkohl, der auch als Fächermaler, Erzeuger bemalter großer Knöpfe und geschnitzter Pfeifenköpfe aus Meerschaum seinen Unterhalt zu verdienen suchte, machte zuerst den Versuch, die

wichtigsten Vorgänge des öffentlichen Lebens in Kupfer-
stichen zu verewigen. Mit dem Blatte „Theresiens
letzter Tag", welches die vielgeliebte und allverehrte
Landesmutter Maria Theresia in ihrer Sterbestunde
zeigte, darunter einen sentimentalen Vierzeiler,
hatte er (1780) einen ungeheuren Erfolg. Ganz
Wien wollte die Darstellung dieses großen Momen-
tes sehen und das Blatt zum Andenken aufbe-
wahren. Binnen weniger Tage waren 7000 Exem-
plare verkauft, trotzdem der Preis einen Gulden
betrug, und Löschenkohl, vorher ein armer Teufel,
war nun ein gemachter Mann. Er gründete einen
eigenen Verlag und begann den Vertrieb im großen.
Fast alle die interessanten und aufsehenerregenden
Momente in Josefs II. Regierungstätigkeit, aber
auch die lokalen Ereignisse, Skandalaffären usw.
wurden von ihm dem Publikum vorgeführt, wie es
heute etwa „Die Woche" tut. „Der Neujahrs-
empfang bei Hofe 1782" heißt ein beliebtes Blatt;
ein anderes, „Die neue Prater Lust oder Das
vergnügte Wienn in seinem Geliebten Joseph",
gibt eine Ansicht des Pratersterns gegen den Prater, an einer Vase links lehnt Josef II., neben ihm
Loudon, Erzh. Maximilian, Lascy, Albert Herzog
von Sachsen-Teschen, Erzh. Maria Christine, kurz
lauter Persönlichkeiten, deren Andenken die Welt-
geschichte, die Paläste, Denkmäler aufbewahrt

haben. In der zweiten und dritten Reihe stehen Herren und Damen vom Hofe in reicher Tracht, dahinter sieht man Spaziergänger. Köstlich ist die Technik dieses Blattes: die Köpfe als Silhouetten behandelt, die Trachten schön durchgeführt, die Komposition etwa an eine Vedute in der Art Canalettos erinnernd. Dabei sind die Porträte scharf gezeichnet, das Ganze meisterhaft gestochen. In späteren Blättern wird der Aufbau immer reicher, die Gruppierung geschickter, die Verteilung von Licht und Schatten, von Figuren und Prospekt freier, künstlerischer, so daß diese Arbeiten neben den verwandten französischen und deutschen Stichen bestehen können, und für die Sittengeschichte Wiens eine ähnlich reiche Quelle werden, wie die Stiche und Schabkunstblätter in England. Auch an Witz, Spott, Satire fehlt es nicht. Als der Kaiser gegen die überhandnehmende Prostitution ein wirksames Mittel fand, indem er verordnete, daß die Dirnen durch Abschneiden der Haare bestraft werden sollten, da zeichnete Löschenkohl den „Lohn der Ausschweifung zur Warnung für andere", in dem er diese Prozedur in drastisch-humorvoller Weise schilderte.*) Ein anderer Stich zeigt „Die Zurückkunft aus dem Zuchthause"

---

*) W. Gugitz in der „Zeitschrift für Bücherfreunde", Januar 1909.

oder er beschäftigt sich mit den ersten Flugver-
suchen; 1784 hatten Alois v. Widmanstätten im
Dammschen Garten auf der Wieden und Ingenheim
im Prater ihre Luftballons vorgeführt. Löschenkohl
gibt in einigen Stichen realistische Wiedergaben
dieser Szenen, oder er zeigt parodierend feindliche
Ballons, die sich in luftiger Höhe beschießen, ein
fliegendes Luftschloß, ein Rendezvous mittels Ballon,
verfolgende Polizisten usw. Die Bedeutung dieser
Publikationen wuchs im Laufe einer 20jährigen Tätigkeit mit zunehmender Popularität, und der eifrige
Illustrator hat über sein Lebenswerk keine unbe-
scheidene Kritik geübt, als er in dem Jahrgang 1799
der Wiener Zeitung „Eine vollkommene Zeitgeschichte
in schön illuminierten Kupfern, von Josephs Regierung an bis auf jetzige Zeiten" zu herabgesetz-
tem Preise ausbot. Urteilt doch ein so gerechter
und vielerfahrener Mann wie Wurzbach in seinem
für die Geschichte Österreichs sehr wertvollen „Bio-
graphischen Lexikon" über diesen Künstler: „Auch
die Gegenwart bietet ähnliche Erscheinungen, wie
Löschenkohl, aber es fehlt ihnen der gesunde
Humor, die frische originelle Unbefangenheit, Va-
terlandsliebe und Fleiß".

Es ist begreiflich, daß bei der großen Verbreitung
dieser Kunstprodukte die Auffassung aller Kreise
dadurch inspiriert wurde. Die Zahl der Nachahmer

FERD. G. WALDMÜLLER, „DIE MILDE GABE".

BES.: DR. MAX STRAUSS, WIEN.

ist denn auch Legion. In allen neu aufkommenden
Techniken der Vervielfältigung, besonders in Lithographie und Holzschnitt, wurden derartige Darstellungen verbreitet; eine Übersicht über diese
Kunstgattung, an der sich viele der berühmtesten
Maler zeitweilig versuchten, auch Schwind z. B.,
würde einen Band für sich beanspruchen. Kininger
(der auch Brands „Kaufrufe" vermehrt und koloriert
neu herausgab), Opitz, Lancedelli, Zampis schilderten die verschiedenen Wiener Typen: „Ein Laufer
mit einem Stubenmädchen und einer Wäscherin in
Wien", heißt ein Blatt, „Die Tirolerin, der Haus-
meister und ein Italiener mit Gipsfiguren" ein anderes.
Die Titel an sich geben eine kurzgefaßte Sittengeschichte: „Die Graben-Nymphe" z. B. (ein hübsches aquarelliertes Blatt, — in der Sammlung Dr.
Heymann — das eine galante Dame in Rokoko-
kostüm darstellt) klagt in französischen Versen:

J'ai couru le Graben, j'ai couru le rampar,
Et n'ai de tout le jour pas gagné un seul liar.
Je n'oserai ainsi rentrer chez ma macrelle,
Quand je n'ai pas d'argent, toujours elle me
querelle."

Andere Blätter zeigen die Unterschriften: „Die kleine
Post. — Parapluie! Parasol! — Der Salamihändler
und der Briefträger. — Ein herrschaftlicher Jäger
mit einem Regensburger Dienstmädchen und ein

Tiroler Teppichhändler. — Die Gassenkehrerjungen
mit ihrem Aufseher in Wien. — Eine Sicherheitswache,
ein Lampenanzünder und eine Obstverkäuferin. —
Griechische Kaufleute und eine Bürgerin. — Ein
türkischer Jude mit seiner Familie. — Nach Hunderten zählen diese Typenbilder, neben denen auch
Varianten der schon erwähnten verschiedenen „Kaufrufe" von Brand und anderer sich finden, die ja
auch später in London („Cries of London") und
Paris sehr beliebt waren. Viele Darstellungen zeigen
drastische Volksszenen, bei denen der „Aschenmann"
(eine auch in der Theaterliteratur durch die Darstellung Raimunds, in dem Zauberstück „Der Bauer
als Millionär", später berühmt gewordene Figur),
die zankenden und raufenden Naschmarktweiber
(eine Lithographie von Lanzedelly) eine große Rolle
spielen. „Schreckliche Wirkung eines Bierplutzers"
war ein vielbelachtes Blatt betitelt. Oder der Künstler
schilderte mit köstlichem Humor die Aventüren
eines Zinstages: Die arme Familie im Oberstock,
die den Zins nicht bezahlen kann, versucht zu ent-
weichen; das ganze Mobiliar, die Garderobe usw.,
wird in *einem* Bündel mittels eines Strickes auf
die Straße hinabgelassen und wirft dabei dem Haus-
herrn, der schmauchend und zeitunglesend am
Fenster des Erdgeschosses sitzt, die kostbare Pfeife
hinab.

Meist sind es harmlose Späße oder moralisierende Darstellungen; die Bosheit und die Ironie fanden erst später, in der Zeit Saphirs und Nestroys, ihre Vertreter unter den Karikaturisten Wiens. — Ich hätte mich bei diesem Thema nicht so lange aufgehalten; aber diese Kunstgattung ist bisher in keinem historischen Werke berücksichtigt; meine Quelle waren Privatsammlungen und Auktionskataloge. Wer jedoch die künstlerisch viel höher stehenden *Sittenbilder* der Alt-Wiener *Maler*, deren mehrere auch auf der Berliner Jahrhundertausstellung Aufsehen erregten, mit den angeführten Stichen vergleicht, der erkennt bald, daß die Anregungen für einen Fendi und Danhauser, Karl Schindler, Treml, ja selbst für manche Werke von Waldmüller, hier zu suchen sind.

Für die malerische Darstellungsweise holten sich diese Künstler ihre Vorbilder in den schönen Wiener Galerien. *Ranftl*, der Sohn eines Wiener Vorortwirtes, später wegen seiner vielen vorzüglichen Hundebilder der „Hunde-Raffael" geheißen, hat eine zeitlang die holländischen und flämischen Maler so gut kopiert, daß manches dieser Bilder als altes Original in den Handel kam. Auch Waldmüller hat als Kopist viel gelernt. In der Akademischen Galerie hängt z. B. eine meisterhafte Nachbildung einer Grablegung von Ribera, die Kopien nach van Dycks

,,Christus am Kreuz", nach Mieris, Correggio, Ruysdael und Potter wurden viel bewundert. Die Gemälde von Ostade und Brouwer, von Teniers, Terborch, Metsu, Dou (wie auch die Blumenstücke von Rachel Ruysch, Huysum) gaben den Ton an. Die noble Abstimmung eines schummrigen Raumes, die Glanzlichter auf Schränken und Dielen brachten die Wiener Maler in ihren Biedermeier-Interieurs zur Geltung. Aber sie behandeln ihre Motive ganz selbständig, als aufmerksame Beobacher der Natur; im Thema, in den charakteristischen Figuren, im Kostüm, in der Eleganz oder Derbheit der Pinselführung präsentieren sich diese Bilder als ganz originale bodenständige Erscheinungen, die ebenbürtig neben den berühmten englischen Sittenbildern eines Wilkie und Morland bestehen können und sich an die holländischen Bauern-, flämischen Gesellschafts- und französischen Rokokoszenen als eine neue zeitgemäße, empfindungsechte und stilvolle Kunstgattung anreihen. Die kunstdurchtränkte Atmosphäre der stolzen alten Stadt gab diesen Menschen einer politisch unerquicklichen, polizeilich beaufsichtigten Überganzszeit *wenigstens ein Medium*, ihr Sehnen und Empfinden eigenartig auszusprechen: *die Kunst* — Musik, Poesie und Malerei! —

Ich will nun einige der besten Sittenschilderer ausführlicher charakterisieren.

III. Kapitel.

FERD. GEORG WALDMÜLLER

ÜBER diesen berühmtesten und beliebtesten Vertreter der Alt-Wiener Malkunst, der zugleich durch die neu erschlossenen Stoffgebiete, sowie durch die tapfere Erforschung des Sonnenlichts und seiner Wirkungen einer der wichtigsten Vorläufer moderner Kunst war, ist in den letzten Jahren ziemlich viel geschrieben worden, so daß die Kenntnis seines Lebenslaufes und seiner Hauptwerke wohl vorausgesetzt werden darf; ich will mich auf die notwendigsten Daten und eine knappe, aber aus intensivem Studium seiner Werke geschöpfte Charakteristik beschränken. Er ist 1793 als Sohn einfacher Wirtsleute im „Tiefen Graben" geboren, sollte wegen seiner früh erkennbaren Begabung Geistlicher werden und mußte, da er zu diesem Berufe keine Passion fühlte, früh für seine Überzeugung kämpfen. Ein Trotzkopf ist er zeitlebens geblieben. Seine Ausbildung als Maler war eine recht unregelmäßige. Er besuchte wohl die Akademie und lernte u. a.

bei Lampi und Maurer. Aber der Kampf um die Existenz, Zufälle und wohl auch die eigene Sehnsucht nach Erlebnissen und Abwechslung führten ihn kreuz und quer durchs Vaterland.

Nachdem er seiner Familie durchgebrannt war, bewohnte er mit einem Jugendfreunde ein Kabinett mit *einem* Bett; wenn der eine schlief, malte der andere. Nicht Bilder, fürs erste, denn die wurden von ihm nicht verlangt: er mußte Zuckerwerk kolorieren, um leben zu können. Ab und zu durfte er ein kleines Porträt malen. 1811 ging er nach Budapest, wo er als Porträtist mehr zu tun bekam, von dort als Zeichenlehrer nach Agram, zu den Kindern des Banus von Kroatien, Grafen Gyulay. Hohe Kunst konnte er dort nicht ausüben; weder die geistige Anregung, noch die Malrequisiten waren vorhanden. Aber die Dekorationen fürs dortige Theater und ein Vorhang wurden bei ihm bestellt; und bei dieser Gelegenheit lernte er seine zukünftige Gattin, die Schauspielerin Katharina Weidner, kennen. Nun beginnt erst recht ein unstetes Wanderleben. Wie später Anzengruber als Schmierenkomödiant von Ort zu Ort zog, dabei aber das Leben der Bevölkerung gründlich kennen lernte und seinen Humor kräftigte, so mußte Waldmüller seine Frau in die wechselnden Engagements begleiten, nach Preßburg, nach Brünn. — Als sie endlich an die Wiener Oper kam, sah auch er die Vaterstadt wieder, begann nochmals mit gründlicheren Studien, besonders in der Technik der Ölmalerei, kopierte viel und erregte zum erstenmal mit einigen Porträten und Genrebildern ein wenig Aufsehen. Die Themen der letzteren lassen deutlich den erwähnten Zusammenhang dieser Kunstgattung mit den landesüblichen Flugblättern erkennen: „Der Tabakpfeifenverkäufer im Kaffeehause" und „Ein Taglöhner mit seinem Sohne" lauteten die Titel. Herr Hauptmann Stierle-Holzmeister bestellte bei ihm das Bildnis seiner Mutter, „aber genau so, wie sie ist!" Das war dem nach Wahrheit suchenden Künstler gerade recht. —

Von diesem Zeitpunkte an entwickelt Waldmüller eine überaus rege Tätigkeit, besonders als ihn eine Anstellung als Kustos an der akademischen Galerie von der ärgsten Geldsorge befreite. Sein Lebenswerk zählt nach ungefährer Schätzung 500—600 Bilder. Seinen Freunden und Verehrern wars zu wenig; den Kunsthändlern arbeitete er zuviel, weil er durch die „Überproduktion" die Preise drückte. Immerhin, einen bescheidenen Erfolg hatte er mit seinen Bildern. Er konnte wenigstens leben und arbeiten. Vielleicht hätte er sich auch „offiziell durchsetzen" können, wenn er nur nicht so eigensinnig sein Ziel verfolgt hätte; er wußte gar zu genau, was er wollte und — was er konnte. Als

7*

Porträtist z. B. war er nicht unbeliebt; aber er
arbeitete so streng, so korrekt, so langsam, Stück
um Stück, Fleck um Fleck. Amerling, der Liebling
der vornehmen Gesellschaftskreise, hatte da eine
viel noblere Manier, eine flüssigere Malweise mit
Anklängen an die beliebte englische Porträtschablone.
Waldmüller war aber weder englisch, noch französisch;
er kannte ja diese Vorbilder ganz gut, schätzte sie
wohl auch. (Wie man übrigens in England auch
ihn schätzte; als er einmal 1856 auf der Durchreise
nach Philadelphia, wohin er eingeladen war, in
London ausstellte, kaufte man ihm dort in wenigen
Tagen alle Bilder ab, so daß aus der beabsichtigten
Tournee nach Amerika nichts wurde. Diese Gemälde
sind noch in England, trotzdem mancher Wiener
Amateur und Kunsthändler danach fahndet.) Waldmüller konnte wohl kopieren, aber nicht nachahmen.
Er sah eben anders. Ein schreibender Kollege hat
ihm das in einem Artikel der „Leipziger Illustrierten"
1845 vorgehalten: „Waldmüller malt stückweise,
mosaikähnlich — zitzerlweise, sagt der Wiener —,
heute ein Auge, morgen eine Nase und übermorgen
das Ohr. Wäre er Architekt, so würde er wohl die
eine Ecke seines Hauses mit Gesims und Zieraten
vollenden und vielleicht selbst das Dach darauf
decken, ehe er noch den Grund für die Keller des
Mitteltraktes ausgehoben; und wer weiß, ob es ihm,

gerade ihm, nicht gelänge." Ein recht alberner Spott,
der wohl beweist, daß alle vor dem geschickten
Künstler Respekt hatten, aber seine Art zu sehen
und zu schaffen nicht begriffen.

Allerdings, das stimmt: Waldmüller malte tat-
sächlich stückweise — zum Glück hatte er ja
nicht Häuser zu bauen und nicht mit Gesetzen der
Statik zu rechnen! — weil er sich bis aufs kleinste
Detail an die Natur hielt. Gerade diese Echtheit
und Naturtreue entzückt uns heute so; wir erinnern
uns an die Manier anderer Großer, Eigensinniger,
wie Leibl z. B. Und wir bewundern, daß Waldmüller doch in keinem seiner Bilder ängstlich und
steif wurde, daß er bei aller Kraft der Lokal-
farbe auch eine noble Harmonie in der Gesammt-
wirkung erreicht. Ja, in manchen Bildern, wie in
dem auf Grau abgestimmten Porträt seiner Mutter
(vergleiche die nebenstehende Abbildung), erreicht
er in der Einfachheit der verwendeten Töne und
der diskreten Abstimmung der Valeurs die Wirkungen, welche das Ideal der modernen Größen,
etwa des Whistler oder John W. Alexander, sind.
Das ganze Bild war eben, soweit die Komposition,
der Aufbau, die Anordnung der Figuren und der
Details in Frage kam, in seinem Kopfe fertig, und
er brauchte bloß eine leichte Vorzeichnung mit
Kohle oder Bleistift. Bei der Ausführung wollte

er dann immer die Natur vor sich haben. Die ,,moderne Galerie'' bewahrt auch ein solches halb ausgeführtes Werk, in dem die linke Hälfte bis zur Vollendung ausgeführt ist, die rechte den weißen Grund mit wenigen Strichen zeigt. Trotzdem durfte Waldmüller manche hohen Persönlichkeiten malen, sogar den Kaiser Franz, eine Erzherzogin, den großen Tondichter Beethoven; das Bild befindet sich in Leipzig bei Breitkopf & Härtel und soll von verblüffender Genauigkeit sein. Auch Grillparzer hat er porträtiert. — Es kam dem Künstler bei seinem Verkehr mit Auftraggebern zustatten, daß er eine elegante repräsentable Erscheinung hatte; damals trugen sich die Künstler in Wien noch nicht bohémienhaft zerstrobelt. Wie ein wohlgepflegter Schauspieler, mit bedeutenden Gesichtszügen, sieht er auf den Bildnissen aus, besonders auf der flotten Zeichnung von Danhauser, die — von Stöber lithographiert — weite Verbreitung fand, aber auch auf den prächtigen Selbstporträten, die im Hofmuseum, der ,,modernen Galerie'' und in der Sammlung des Herrn Dr. Heymann sich finden. Den Damen gefiel er besonders, bis in sein spätes Alter hatte er bei ihnen Glück; sein Schüler Graf Zichy erzählte, daß keiner der Jüngeren gegen seine ritterlich temperamentvolle, echt altwienerische Galanterie aufkommen konnte. Er hat auch in

FERD. G. WALDMÜLLER: „DIE HOCHZEIT IN PERCHTOLDSDORF".

IM BESITZE DER FRAU MARIE FISCHER, WIEN.

späten Jahren noch einmal eine hübsche junge Frau geheiratet, die Tochter seiner Blumenlieferantin, für die er ein guter, täglicher Kunde war.

Also, er hätte sein Glück machen können. Aber er verscherzte sich's immer wieder. Zunächst durch seine Malerei, in der er „der Wahrheit die Schönheit opferte"; auch malte er Bettlerkinder und andere arme Leute, Bauern und Kalkbrenner. — So sehr war man an die Überzuckerung, an die theatralische Pose, an das verstiegen Erhabene gewöhnt, daß diese Bilder, die uns abgehärteten Enkeln oft zu liebenswürdig und in einzelnen lächelnden Figuren doch fast süßlich erscheinen, den Leuten damals wehtaten. — Und dann konnte er „keine Ruh' geben"; immer, wenn er von einer Reise zurückkam, besonders, wenn er in Paris war, auch nach seinem Londoner Erfolg, dann geriet er in Verzweiflung und Wut über die engen Verhältnisse in Wien, die Absperrung gegen das Ausland, die Bevormundung der Talente an der Akademie. Und in solcher Stimmung schrieb er dann seine Brandschriften, die den Kollegen und der Obrigkeit durch den energischen Ton und die Vorschläge gründlicher Reformen so unbequem waren. In vielem war er auch ungerecht oder ungenügend informiert; aber in der Hauptsache forderte er dasselbe, was auch heute die Einsichtigen, noch immer vergebens, verlangen: „Meisterschulen, mit

nur zweijähriger Lehrdauer; der Meister ist ver-
antwortlich für die ihm übergebenen jungen Leute.
Wer *kein* Talent hat, soll hinausgeworfen, und wer
wenig kann, für kunstgewerbliche Hilfszweige er-
zogen werden. Für die *tüchtigen* Künstler aber sollte
mehr gesorgt werden; für das viele Geld, das man
für Akademiezwecke hinauswarf, sollten Bilder an-
gekauft, Preise und Stiftungen verteilt werden. —"
Das waren die Hauptgedanken. Die Herren Kollegen
ließen sich's nicht gefallen. Sie spürten ihre Sitze
wackeln, und nach der zweiten schriftlichen Attacke
wurde Waldmüller hinausgeekelt. Er wurde pensio-
niert, mit halbem Gehalt: 400 Gulden jährlich. Von
da an war er ein müder, gebrochener Mann. Er
malte nicht mehr viel, denn auch seine Augen waren
schwach geworden, und trotzdem man ihm später
ein Pflaster auf die Wunde legte, in Form des Franz-
Josefs-Ordens und der Pensionserhöhung, siechte der
früher so eiserne Mann dahin. Er starb 1866.

Heute verstehen wir, was Wien, Österreich, die
ganze kunstsinnige Welt an ihm hatten. Seine ehr-
liche Korrektheit mahnt uns, in manchen Porträten,
an Holbein; seine Freude an der Farbe erinnert uns
an neuere Meister wie Leibl, die Feinheit seines
Geschmacks an moderne Ästheten. In der drastischen Kraft seiner Sittenbilder wird er mit Ostade
und den englischen Genremalern verglichen; gewiß

ist, daß ihm die später so beliebten Knaus, Vautier, Defregger, an Kraft und Wahrheitsliebe, an sonniger Glut nicht gleichkamen. Und: er war der *erste*, der *Bahnbrecher*. Wenn auch an manchen heimischen Traditionen gefördert, hat er als erster *den Zeitgenossen ihre Welt* gezeigt, das einfache Leben des Landbewohners, seine Arbeit und seine Feste, die Liebe, die Ehe, die Freude am Kinde. Die französischen Sittenmaler hatten die Bauern parfümiert, die Landmädchen wie derbere Kokotten aufgefaßt; oder sie kostümierten großstädtische Elemente zur ländlich-idyllischen Maskerade. Bei Waldmüller war der Bauer echt, er war ihm Selbstzweck. Und das Anekdotische ist bei ihm nur der Träger rein menschlicher Züge, rein malerischer Gestaltung. — Erklärlich ist diese Vertrautheit mit der Natur erst, wenn man die geschilderte Anlage von Wien, das Ineinanderfließen von Stadt und Land, von großstädtischen und bäurischen Elementen bedenkt, und die Lust des Wieners am Ausfliegen, Wandern, Bergsteigen, Erleben. — Wie der ihm wesensverwandte Anzengruber, der ja auch ein geborener Großstädter war, hat Waldmüller durch die unstete Lebensweise in der Jugend, das Herumzigeunern mit Schmierenkomödianten vieles kennen und begreifen gelernt. — Freilich, die schlichte, ernste Größe, das Monumentale des Bauernsohnes Millet hat er in seinen Bildern

nicht erreicht; es wäre unrecht, diese ungleich ver-
anlagten und erzogenen Menschen verschiedener Gebiete und Epochen aneinander zu messen. Aber an
Manet kam er in der Gewalt der Lichtschilderung
schon heran, wenn auch seine strenge genaue Art
von der breiteren, lockeren Malweise des Parisers
stark abweicht.

Seine beliebtesten Bilder waren schon damals die
figurenreichen Szenen: „Das Ende der Schulstunde",
„Die Klostersuppe", „Der Guckkastenmann", die
„Johannisandacht", die „Hochzeit in Perchtoldsdorf", der „Versehgang", „Großvaters Wiegenfest",
der „Nikolo" (die in Österreich übliche Bescherung
am St. Nikolaustage, 6. Dezember), „Die Aufnahme
des neuen Lehrlings" usw. Sie wurden von den
reichen Wiener Bürgern gern gekauft, um so mehr,
als Waldmüller seine Arbeiten billig weggab; seit
einigen Jahren zahlt man das Zehn- und Zwanzig-
fache dafür. So geschickt die Gruppierung und der
seelische Ausdruck in diesen Gemälden gelöst sind,
so erscheinen uns doch heute einfachere, weniger
genreartige Motive viel bedeutender. Bilder, in denen
er ganz schlichte Züge aus dem Menschenleben in
ungeschminkter Farbe vorführt, etwa das rein ani-
malische Wohlgefühl einer derben Bauersfrau, die
ihr in der Wiege liegendes Kind küßt. Oder die
Waldbilder, mit all der Frühlings-, Sommer- oder

FERD. GEORG WALDMÜLLER, „HEIMKEHRENDE HOLZSAMMLER".
WIDMUNG DES REG. FÜRSTEN LIECHTENSTEIN AN DAS HOFMUSEUM.

Herbststimmung, mit Sonnenbrüten und duftig blauer Ferne. Das sind hohe Kunstwerke, die für alle Zeiten — sit venia verbo — klassische Bedeutung behalten werden. Der Umfang von Waldmüllers Fähigkeiten ist aber noch viel größer, als nach all dem Mitgeteilten zu begreifen ist. Immer wieder findet man Bilder von ihm, die überraschen. Erst bei der letzten Jubiläumsausstellung im Künstlerhause (1908) tauchte ein bisher in der Öffentlichkeit unbekanntes,*) dem Baron Drasche gehöriges Gemälde auf, eine Wallfahrt niederösterreichischer Bäuerinnen im Nationalkostüm darstellend, in dem dekorative Farbenprobleme, die Verwertung der bunten Kostüme in der Landschaft viel kräftiger und moderner gelöst erscheinen, als bei Uprka und anderen Modern-Dekorativen. Das sind rätselhafte Erscheinungen und sie beweisen, daß das Genie seiner Zeit um Jahrzehnte voraus eilt. Auch mehrere erst in letzter Zeit bekannt gewordene figurale Kompositionen, welche antikisierende Motive in einer frischen lebensvollen Auffassung behandeln, wie z. B. die vier „Apothekerbilder" (jetzt in der Sammlung Eissler) und die „badenden Frauen" (s. die Abbildung), zeigten den Künstler von einer

---

*) Dieses Bild wurde von Berggruen in den „Graph. Künsten" 1887, unter dem Titel „Unterbrochene Wallfahrt" erwähnt, aber nicht ganz zutreffend beschrieben.

neuen Seite. — Dann war er ein Meister des „Still-
lebens", den größten holländischen Meistern ebenbürtig, auch auf diesem Gebiete ganz eigenartig,
in Komposition und dekorativer Behandlung, vor
allem aber in seinem erquickenden, der Zeit voraus
eilenden Realismus.

* * *

Alle diese Spuren, die man auch im Deutschen
Reiche (besonders seit der Berliner Jahrhundert-
Ausstellung) heute so emsig verfolgt, die man bei
Krüger, Runge, Oldach u. a. aufzuweisen vermochte,
findet man bei Waldmüller in besonders starker
Entwicklung und überaus glücklicher Vereinigung.
Es ist dem Historiker eine erhebende Arbeit, in
solchen Zügen höhere, allgemein wirkende Gesetze
aufzuzeigen. Ich war bemüht, in knappen Strichen
das Werden Waldmüllers und verwandter Künstler
von der Wurzel aus zu verfolgen, und ich meine,
es tut der Größe solcher Erscheinungen keinen Ab-
bruch, wenn man sie *motiviert,* nicht so darstellt,
als wären sie plötzlich vom Himmel herabgefallen,
und wenn man nicht um des Helden willen die
übrigen Zeitgenossen degradiert. Eben beim Abschluß
dieses Buches finde ich in einer der gelesensten
Kunstzeitschriften einen Aufsatz über Waldmüller,
der die alt eingewurzelte Unwahrheit vorbringt:
„Wie im übrigen Europa, so war auch in Österreich

FERDINAND GEORG WALDMÜLLER: „BADENDE FRAUEN".

BES.: DR. HORACE LANDAU, WIEN.

151

die Kunst zu Anfang des 19. Jahrhunderts eine in leerem Formelkram erstarrte klassizistische. Nur ganz allmählich vollzog sich die Abkehr von der mißverstandenen Antike, bewirkt durch die Nazarener; usw. usw.'' Das sind leere Phrasen, die man heute nicht mehr gebrauchen sollte, nachdem bereits die Zusammenhänge der realistischen Strömungen aufgedeckt und auch der ,,Klassizismus'' wieder in der Wertschätzung gestiegen ist. Weder auf Wien, noch auf Paris oder London trifft die angeführte Behauptung zu; am ehesten noch auf das allzu einseitig literarisch gebildete Norddeutschland, obwohl bekanntlich auch hier eine kräftige ,,naturalistische Unterströmung'' deutlich nachweisbar ist; wir haben es eben hier mit einem eingewurzelten Vorurteil zu tun, das bekämpft werden muß.

IV. KAPITEL

DANHAUSER, FENDI, RANFTL, K. SCHINDLER U. A.

DER zweite große Sittenschilderer des vormärzlichen Wien war Josef Danhauser. An der Akademie knüpften sie Freundschaft, der nach manchen Irrfahrten wieder zu fleißigem Studium eingekehrte Waldmüller und der um zwölf Jahre jüngere, frühreife und verzärtelte Danhauser. Dieser war in einem reichen Milieu unter mannigfachen Kunsteindrücken aufgewachsen. Sein Vater war ein vermögender Kunstgewerbler; er verfertigte oder verschaffte alles, was zur Einrichtung einer eleganten, molligen Wohnung notwendig war: schöne Möbel, Schnitzereien, kleine Bronzen. Zu diesem Zwecke hatte er ein vornehmes kleines Gartenschlößchen auf der Wieden, im Besitze des Grafen Karolyi, gemietet. Dort wurde 1805 das Knäblein geboren, das später seines Vaters Namen so berühmt machte. Kämpfe waren dazu nicht nötig. Der alte Danhauser hätte es zwar lieber

FERD. GEORG WALDMÜLLER: „STILLEBEN".
MODERNE GALERIE, WIEN.

gesehen, wenn der kolossal musikalisch begabte
Junge Violinvirtuose geworden wäre ; als dieser
aber mehr Interesse für die Malerei zeigte, gab er
ihn mit 16 Jahren an die Akademie. Wenn er
dort technisch so manches von Lampi und Maurer
profitierte, so mag für seine geistige Verfassung
und die spätere Stoffwahl der Verkehr mit dem in
harten Entbehrungen gereiften Waldmüller aus-
schlaggebend gewesen sein. Auch er kam früh in
Opposition zu der herrschenden Clique, aber es scha-
dete ihm wenig, und von dem bißchen Zorn, das
verschiedene Maßregelungen und Hintansetzungen
in ihm erweckten, befreite er sich durch Karikaturen und satirische Bilder, deren einige im Hofmuseum aufbewahrt sind. Hatte sich Waldmüller
gegen die Frömmelei seiner ,,Frau Mahm'' nur
durch die Flucht schützen können, so war Danhauser von Hause aus freisinnig, ein strammer
Gegner klerikaler Übergriffe und der unter Metternich zum System gewordenen Spionage und Über-
wachung. Also auch hier, trotz der eleganten, welt-
männischen und humorvollen Erscheinungsform von
Danhausers Kunst, herrscht keineswegs jene zahme
Zufriedenheit und Fachsimpelei, wie man sie mit
dem Begriffe der Biedermeierei gewöhnlich verbindet. Alle diese Schaffenden aus dem Vormärz
hatten eine kernige, selbständige, räsonnierende Art,

die sich nicht unterkriegen ließ und 1848 recht deutlich ihre Meinung aussprach. Zartere Naturen, wie Grillparzer, wurden wohl zu verstimmten „Raunzern" und zogen sich in die Einsamkeit zurück; andere streitbare Menschen, wie eben Waldmüller und Danhauser, die unerschöpflichen Karikaturenzeichner, die Lustspieldichter mit Bauernfeld an der Spitze, führten einen lustigen Krieg, der uns Nachlebende oft zur Bewunderung hinreißt. Wem die Bevormundung zu dumm wurde, der ging einfach weg; Schwind zum Beispiel, der sein Wien bis ans Lebensende über alles liebte und hier eine schöne, lustige Jugend verbracht hatte; auch Steinle und Schaller verließen die Heimat.

Danhauser hatte das nicht nötig. Er fand auch in Wien seinen Kreis. Zuerst hatten ihm die glänzenden Beziehungen seines Vaters fortgeholfen; so hatte der berühmte Dichter Ladislaus Pyrker, damals Patriarch von Venedig, den Sohn seines Lieferanten nach der Lagunenstadt zitiert. Bald aber fanden seine vortrefflichen Bilder von selbst ihr Publikum. Zwar die großen, adligen „Mäzene" kauften lieber alte Bilder; nur Gauermann mit seinen Jagdstücken und der als Porträtist beliebteste Amerling fanden Gnade vor ihren Augen. Aber unter den reichen Bürgern gab es große Verehrer der einheimischen Kunst. Der Fabrikant

v. Arthaber und der Hofvergolder Conrad Bühl-
meyer legten nach eigenem Geschmack große
Sammlungen an; sie reisten auch mit den Künstlern, zum beiderseitigen Vorteil. Der reiche Berg-
werksbesitzer Meyer, die Baumeister Kornhäusl und
Jaeger, Zimmermeister Fellner, Seidenfabrikant
Putschke, Kaufmann A. Beck, später auch der
große Waldmüllersammler Gsell, aus dessen Nachlaß
die Bilder zu unerhörten Preisen in die Hände
der neuen Generation übergingen, verdienen ein
eigenes Blatt in dem Ehrenbuche der Stadt Wien.

Danhausers Bilder, besonders in seiner reiferen
Zeit nach der holländischen Reise, hauchen das
zarteste Aroma der damaligen verfeinerten Gesellig-
keit aus. Wie entzückend fein, mit einem leichten
Stich ins Humoristische, ist die „Brautwerbung"!
(Im Besitze des Grafen Czernin; s. die Abbildung.)
Dieses elegante Interieur, in dem noch die kost-
baren reichen Barockformen im biedermeierischen
Ensemble wirkungsvoll mitsprechen, die Szene
selbst — vorn am Tische der Vater des Bewer-
bers, dem schönen Mädchen sanft zuredend, im
Hintergrunde der geputzte Jüngling mit der alten
Dame —, ein Bild, dem ein neuerer Modemaler
sicher den Titel „Als der Großvater die Großmutter
nahm" anhängen würde! Oder die „Dame am Klavier", die berühmte vielfigurige Gesellschaftsszene

„Liszt am Klavier" auf dem die Porträts von Rossini, Paganini, Hector Berlioz, Dumas, George Sand und Liszt zu einer schönen Gruppe vereinigt sind, — ein Gegenstück zu Schwinds „Schubert-Abend", ein Vorläufer von Fantin-Latours Gruppenbildern berühmter Leute; dann die tendenziösen Sittenbilder „Der Prasser" und „Die Klostersuppe", sowie das hochdramatische, von schärfster Beobachtung und intimster Menschenkenntnis zeugende Gemälde „Die Testaments-Eröffnung"! Da ist keine lederne Moral, keine rührselige Philisterei, wie in den Romanen und Dramen, auf die der Vers gemünzt wurde: „wenn sich das Laster erbricht, setzt sich die Tugend zu Tisch". Es ist nuancenreiche, in vornehmsten künstlerischen Valeurs gehaltene Darstellung des menschlichen, des großstädtischen Lebens, in dem ja Reichtum oder Armut, Verschwendung oder Sparsamkeit eine so wichtige Rolle spielen. In dem Bilde „Mutterliebe", das — wie die meisten Gemälde Danhausers, und auch Waldmüllers — in mehreren Varianten existiert, kehrte er noch einmal zum rein Menschlichen zurück, wie er auch mit Vorliebe die Drolligkeiten und Innigkeiten der Kinder — die ja Waldmüller und Fendi ebenfalls so gern schilderten — köstlich wiedergab. Mitten aus dieser erfolgreichen, mit klarster Zielsicherheit und voller Beherrschung der Mittel

betriebenen Tätigkeit, die ihn schon in jungen Jahren zum beliebtesten Wiener Maler gemacht hatte, riß ihn der Tod. Kaum 40 Jahre alt, unterlag er einem heftigen Typhusanfall (1845).

Ein Künstler ersten Ranges war hier zu früh dem blind waltenden Schicksal erlegen. Wenn Danhauser in seinen besten Bildern an virtuoser und eleganter Wiedergabe des Stofflichen, an Noblesse der Lichtführung die großen Niederländer Terborch, ja sogar Vermeer van Delft erreicht, so wetteifert er an treffender Charakteristik und Pointen-Reichtum mit den besten Sittenschilderern Englands. Gleichwie Waldmüllers kernige, wahrheitsgetreue Art von den späteren Lieblingen des Publikums Knaus und Defregger nicht erreicht wurden, so hat auch Danhauser unter den Nachfolgenden kaum einen Rivalen. Wie er eine knisternde helle Seidenrobe suggestiv zu malen, die lebhafteren Farben der Kleider mit den schummerigen Tönen des Raumes in Harmonie zu bringen versteht, kennzeichnet ihn als echten *Maler*, als Beherrscher der Farbe und ihrer geheimen Zauberspiele. Nie ist er grell und übertrieben und doch wieder nirgends geleckt und unwahr. So bedeutet seine kurz bemessene Schaffensperiode einen Höhepunkt der Kunst, nicht bloß für Wien allein.

*   *   *

8*

Weniger geistvoll, aber mit einem bezaubernden künstlerischen Geschmack schilderte Peter *Fendi* (1796—1842) das Wiener Leben. Im Ölbild ist er ein wenig befangen und steif; doch ist ihm die Charakteristik des Mädchens, das „vor der Lottobude" steht, überlegend, auf welche Nummer sie ihr Geld und ihre Hoffnungen setzen soll, oder des „Sämanns", der kraftvoll übers Feld schreitet (beide im Hofmuseum) recht gut gelungen. Besonders das letztgenannte, als Titelbild diesem Buche vorangestellte Werk zeigt große Auffassung und eine für jene Zeit ganz erstaunliche Einfachheit des Aufbaues; die Betonung der Umrisse, die Stellung der Hauptfigur im Raume und die Überschneidung durch Querlinien erscheinen wie die Vorahnung neuester Errungenschaften in der Malerei. — Im übrigen fängt die Begabung Fendis erst freier zu spielen an, wenn er mit Wasserfarben malt. Seine besten Arbeiten gehören eigentlich in ein anderes Kapitel, ins Gebiet des Porträts. Die „Familienvereinigung" aus dem Jahre 1834, ein vielfiguriges Gruppenbild der damaligen Habsburger, ist mit einer Unbefangenheit, Treffsicherheit und farbigen Delikatesse hingeschrieben, wie sie nur bei den besten englischen und französischen Aquarellisten zu finden ist. Dieselben Vorzüge haben die meisten seiner Aquarelle. Die Farbe ist meist nur hingehaucht, ohne scharfe Konturen, nur an manchen

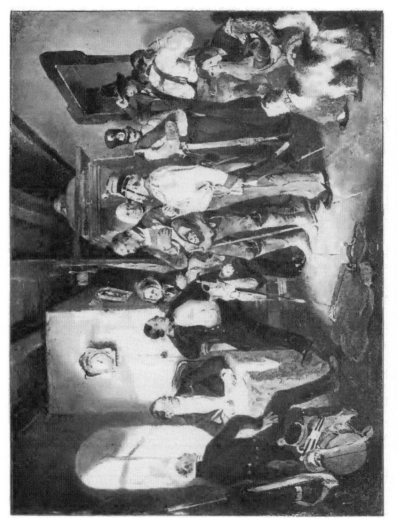

KARL SCHINDLER: „REKRUTEN-AUSHEBUNG AUF DEM LANDE“.
KUNSTHISTORISCHE SAMMLUNGEN DES A. H. KAISERHAUSES.

markanten Stellen rückt er mit einem lebhaften
Kirschrot, einem lustigen Blau hervor, das kein
moderner Kolorist pikanter bringen kann. Der durch-
sichtige Schimmer der Augen, der Reiz einer bunten
Schleife im Lockenhaar macht ihm keine Schwierig-
keit. Es ist das gute Wiener Tradition. Bei jedem
noch so flüchtigen Blatt von Kriehuber — der ja
Tausende von aquarellierten oder lithographierten
Porträten schuf —, von Fischer, Prinzhofer, Lieder,
oder gar von Meister Daffinger finden sich diese
Vorzüge in unendlicher Mannigfaltigkeit. Das war
nämlich die „in leerem Formenkram erstarrte klassizistische Wiener Kunst," von der heute noch ge-
faselt wird.

Die Brüder Albert und Karl *Schindler*, aus jener
begabten Familie, die uns später den bedeutendsten
Wiener Landschafter, Jakob Emil Schindler, bescherte,
lernten bei Fendi die treuherzige farbige Wiedergabe
von Volksszenen; sie wählten ihre Sujets am liebsten
aus dem Soldatenleben, ohne aber ins Schlachten-
malen zu geraten. Auch von der Monotonie der
Friedländerschen Invalidenszenen halten sich diese
Bildchen, welche sozusagen den Menschen im Soldaten
schildern, mit Glück fern. Wie köstlich gesehen und
wie keck gemalt ist beispielsweise die hier in Abbildung wiedergegebene Darstellung einer Rekruten-
aushebung auf dem Lande! Diese Werke werden heute

auf Auktionen fast ebenso hoch bezahlt, wie diejenigen von Waldmüller. Ein Liebling unserer „Alt-
Wien"-Sammler ist auch der oben schon erwähnte
Johann Mathias *Ranftl* (1805—54). Friedrich *Treml*
(1816 — 52) ist mit Schindler wesensverwandt,
während Eduard *Ritter* (1808—53) mit bescheidenen
Kräften den Spuren Danhausers folgt. Auch den
Spuren einiger bisher zu wenig beachteter Sittenschilderer, wie Josef Mansfeld, Karl Svoboda,
Johann Nep. Mayer, Wilhelm Richter, geht man
in jüngster Zeit sorgfältig nach. Franz *Eybl*
(1806—80), dessen Stärke im Porträt lag, wäre auch
als Genremaler hier zu nennen. Mit viel Humor
zeichnete und malte der gleichfalls jetzt sehr ge-
suchte Anton *Straßgschwandtner* (1826—81) alle die
wechselvollen Aventüren des Kriegslebens. Als Pferde-
Porträtist hatte er großen Ruf. Mit Pettenkofen
lithographierte er 1850 „Die österreichische Armee"
und die „Ehrenhalle". Zwischen Sittenbild, Historie,
Soldaten- und Schlachtenbild bestehen damals nur
kleine Verschiedenheiten in Auffassung und Behandlung. Künstler wie J. N. Geiger, Peter Krafft, Höchle,
l'Allemand, Karl und Leander Ruß z. B. haben auf
diesen verwandten Gebieten Tüchtiges geleistet.

Auch *Schwind* gehört mit einigen seiner früheren,
noch in Wien entstandenen Werken in diese Gruppe.
Sein Schubert-Abend, auf dem 42 Persönlichkeiten

der damaligen schöngeistigen Gesellschaft, neben
Schubert Grillparzer, Feuchtersleben, Castelli, Kupel-
wieser, Josef und Anton v. Spaun, Baron Doblhoff,
J. M. Vogl, Franz Lachner und eine Menge schöner
Damen in der charakteristischen, hübschen Tracht
der Zeit zu einer belebten Gruppe vereinigt sind,
gehört zu den bekanntesten Dokumenten Alt-Wiens.
Die reizenden ,,Gesellschaftsszenen'', deren eine die
Wiener ,,Moderne Galerie'' besitzt, viele köstliche
Zeichnungen, die auf das lustige Treiben des Freundes-
kreises — Schwind, Schubert, Bauernfeld, Lachner —
Bezug haben, zeigen echt Wienerische Stimmung.
Doch gehen auch die ernsteren Werke, welche die
romantische Strömung in der Malerei einleiten, auf
Eindrücke und Anregungen seines Wiener Aufent-
haltes zurück.

V. KAPITEL

ROMANTIKER UND NAZARENER
(SCHWIND, FÜHRICH, STEINLE U. A.)

ALS Richard Muther vor mehreren Jahren zum hundertsten Gedenktage von Schwinds Geburt in Wien einen Vortrag hielt, da schilderte er in nachdrücklicher und für uns Heimatsgenossen des großen Künstlers erhebender Weise, wie gerade drei Österreicher es waren, welche der Sehnsucht nach der Größe und Reinheit altdeutscher Kunst am innigsten und wirkungsvollsten zum Ausdruck verhalfen, das „Rheingold" der deutschen Kunstempfindung hoben: „Josef Führichs Blätter zur heiligen Genovefa und zum heiligen Wendelin sind zarte bukolische Idyllen, aus deutschem Landleben, deutschen Tieren und deutschem Hausrat zusammengewebt. In Eduard Steinles Aquarellen ist der Zauber der deutschen Sagenwelt duftig, ohne Süßigkeiten festgehalten. Schwind sprach es selber aus: Die Nachahmung der Welschen ist die gefährliche Sackgasse, in die unsere Kunst geriet.

Es schwankt jeder, der seine Muttersprache verlernt hat. Die Malerei, der ich folge, ist die deutsche und als Grund derselben die Glasmalerei anzunehmen."

Nie ist Wien eine deutschere Stadt gewesen, als in jenen Tagen, da der habsburgische Regent die Herrschaft über das Deutsche Reich zurücklegte, als Napoleon sich in Schönbrunn eine Filialresidenz einzurichten gedachte. Man hat die Bevölkerung Wiens und ihre Lebensweise in so vielen Schriften, in Dramen und Gedichten so falsch geschildert, daß es heute schon schwer ist, diese alteingewurzelten Vorurteile zu widerlegen. Die Schwärmerei für deutsche Kunst war nicht etwa eine zufällige Marotte dieser vereinzelten Künstler; diese waren vielmehr von der allgemein herrschenden Auffassung inspiriert, von der begeisterten Stimmung aller gebildeten Kreise getragen. Es sei mir gestattet, über dieses Thema, über Charakter und Gesinnung der Wiener in vergangener Zeit, an dieser Stelle ausführlicher zu sprechen, da es zum Verständnis ihrer Kunst erforderlich ist.

Seit fast 150 Jahren hat sich in der Literatur die unrichtige Auffassung festgesetzt, die Wiener seien ein leichtsinniges, leichtlebiges Völkchen, nur auf materiellen Genuß gierig, in den Tag hinein und für den Tag lebend, dabei wohl erträglich begabt, für Musik, speziell für Walzer und Couplets, auch für sinnliche Malerei und pikante Literatur. Das Verslein aus den Xenien, das von Schiller herrührt: „Immer ists Sonntag, es dreht Immer am Herd sich der Spieß" ist gedankenlos zur Charakteristik der Wiener gestempelt worden, und die Worte „g'mütlich", „fesch", „Fiaker", „drah'n", „Heuriger", „Wäschermadl", „Wurstelprater" umgrenzen so ungefähr die Vorstellung, die man noch immer im Auslande von der „alten Kaiserstadt" hegt. Dieses einseitige Urteil ist in den glücklichen Tagen des 18. Jahrhunderts entstanden, als während des schwer erkämpften Friedens Geld und Macht von allen Seiten in Wien zusammenströmten. Aber vorher war, durch lange Jahrhunderte, diese Stadt ein festes Bollwerk der deutschen Kultur gegen den Osten. Wien war eine Festung, immer in Kriegsbereitschaft, immer „auf Tod und Leben". In engen Gassen hinter Mauern und Wällen verschanzt, mußte man sein Leben einrichten; was man vor den Toren anbaute, mußte immer wieder zerstört und niedergebrannt werden, um dem Feinde keine Stütze zu geben. In solchem aufreibenden Kampf härten sich die Naturen! — Wenn von den Vorbedingungen der heutigen Größe Preußens die Rede ist, so wird gewöhnlich der schwierigen Kämpfe dieser östlichen Mark gedacht, welche das Volk zur Tapferkeit und

JOSEF KRIEHUBER, STUDIENKÖPFE.
LITHOGRAPHIE AUS DEM JAHRE 1826.

Selbstzucht führten. Die Aufgabe des Wieners und Österreichers war nicht minder schwierig, und er hat stets in schweren Tagen Humor *und* Heldenmut gezeigt. Als dann in der Residenz der allmächtigen Habsburger viel Geld zusammenfloß, als man mit der Macht Frankreichs rivalisierte, als immerfort hohe Gäste kamen, vor denen man repräsentieren mußte, da freilich gab es auch Luxus, Lebenslust, Genüsse. Und die Berichte über derartige Festlichkeiten wurden in dem damals ärmeren Norden, wo man noch die Erschöpfung nach dem 30jährigen Kriege in allen Knochen spürte, entstellt, übertrieben und in solcher Form „literarisch verewigt".

Gerade der vielgerühmte Prater wurde ja von dem ernstgesinnten Wohltäter Josef II. dem Volke erschlossen; und die Gründe, die ihn bewogen, waren sehr dringliche: durch die Einsperrung der Volksmassen in finstere enge Wohnungen waren verheerende Seuchen entstanden, und es mußte Luft und Sonne gespendet werden. Sollte sich der Bürger dieser Errungenschaften nicht freuen?

Der Ernst der Lebensführung ist dem Wiener über diesen Eroberungen nicht verloren gegangen. Ich habe schon in früheren Kapiteln auf die Energie in manchen Lebensläufen hingewiesen. Und es ist gewiß kein Zufall, daß gerade die berühmtesten

Vertreter der Kunst im Vormärz ernste, ja schwermütige Züge aufweisen. Ich erinnere an den „ewigen Raunzer‘‘ Grillparzer, dessen seelensgute Mutter in einem Anfall von Schwermut sich erhängte, an den im Irrenhaus endenden Lenau, an den verfolgungswahnsinnigen Raimund, an die Helden des Kriegs- und Freiheitsliedes, an den kraftvoll ernsten Anzengruber. Und ist nicht der geschilderte Entwicklungsgang Waldmüllers ein steter harter Kampf um ernste Ideale gewesen? Deutsche Bauern waren es, die er in seinen ehrlichen Bildern zeigte, deutsch ist *sein* Name, so wie der von Danhauser, Daffinger, Amerling, Kriehuber, Führich, Steinle, Schwind, wie die Namen der Musiker Mozart, Schubert, Strauß und Lanner, Bruckner, Wolf, und der Dichter Grillparzer, Bauernfeld, Anzengruber, bis herauf zu Rosegger und Schönherr —!

Als im ganzen Deutschen Reich die Reaktion gegen Franzosentum und Klassizismus einsetzte, als die von Herder und Goethe begonnenen Ausgrabungen deutscher Volkslieder, Sagen und Gestalten, des Götz und Faust, des Erwin von Steinbach und Hans Sachs von einer ganzen Generation begeisterter Denker, Dichter und Künstler zum Programm erhoben wurde, fanden diese Stimmen in Wien ein hallendes Echo. In der Stadt des Stephansdomes und der Babenberger,

JOSEF v. FÜHRICH, „DIE BEGEGNUNG JAKOBS MIT RAHEL".
ÖLGEMÄLDE.
KUNSTHISTORISCHES HOF-MUSEUM.

an den von alten Burgen überragten Ufern des
Donaustromes und seiner Nebentäler lebten noch
so viele gotische Züge, wirkten und woben so
viele altdeutsche Sitten und Sagen, daß die Wiener
Romantiker aus eigenen Quellen schöpfen konnten.
Zudem waren Gäste aus Deutschland häufig, die
Brüder Schlegel, Clemens Brentano, Werner lasen
hier ihre Dichtungen vor, deutsche Ritter- und
Räuberdramen wurden aufgeführt. Webers „Frei-
schütz" war hier populär, und einer der größten
Genien deutschen Empfindens, Ludwig van Beet-
hoven, lebte ja ständig in Wien. Dazu kam der
Groll über die ungünstige Wendung der politischen
Verhältnisse, über das Vordringen der französischen
Armee.

Es sei mir an dieser Stelle ein kleiner geschicht-
licher Exkurs verstattet, der die Stimmung in der
Bevölkerung beleuchtet und manche künstlerischen
Erscheinungen erklärt. „Schon im Jahre 1793," erzählt Guglia in der ‚Geschichte der Stadt Wien‘,
hatten Fürst Karl Liechtenstein, der niederöster-
reichische Appellationsrat von Fillenbaum und die
drei Wiener Bürger Ignaz Biedermann, Tuchhändler,
Josef Gerl, Baumeister, und J. Würth, Hofsilber-
Juwelier, größtenteils auf ihre Kosten ein Freikorps
errichtet, das sich unter dem Namen des Graf
Wurmserisch-österreichisch-steirischen Freikorps in

den folgenden Jahren tapfer schlug. 1795, im Spät-
herbst, nahm das Korps an dem Siege des Feld-
marschalls von Clerfait, bei Mainz über die Franzosen erfochten, teil. Die Bürgerschaft richtete
hierauf am 10. November eine Adresse an den
Kommandierenden, die das Bewußtsein der Bedeutung des Krieges wie die Freude, daß Wiens
Söhne ihn miterkämpft, würdig ausdrückte: „Auch
in weiter Ferne," heißt es darin, „empfanden die
Wiener Bürger die Gefahr, welche das deutsche
Vaterland bedrohte." Anno 1796, da des jungen
Napoleon Fortschritte in Italien Österreich im
Süden gefährdeten, ward von der Wiener Bürgerschaft selbst die Bildung eines Freikorps beschlossen.
Nachdem der Kaiser den Plan genehmigt hatte,
flossen reichliche Spenden. Der bürgerliche Handels-
stand, die sog. „Niederlagsverwandten", ja selbst die
Handlungsdiener gaben bedeutende Summen, die
Schneider und Schuster erboten sich zur unentgelt-
lichen Bekleidung und Beschuhung von tausend
Mann. Die kriegerische Begeisterung wuchs, als
im September Nachricht von den Siegen, die Erzherzog *Karl* in Deutschland gegen die Franzosen
erfochten, nach Wien kam. Als die französische
Armee dennoch weiter vordrang, wurde ein Aufruf
erlassen; er erinnerte die „biederen Einwohner
Wiens an ihre ruhmvollen Voreltern, welche unter

BALTHASAR WIGAND, EXERZIERENDE INFANTERIE, KAVALLERIE UND
ARTILLERIE AUF DEM GLACIS VOR DER WIENER HOFBURG.

MINIATUR. Ca. 1810.

Ferdinand und Leopold auf den Wällen von Wien für
Religion, Fürst, Vaterland und Ehre siegreich ge-
fochten haben". Schon die folgenden Tage meldeten
sich Freiwillige; im Rathaus und bei den Grund-
gerichten wurden sie eingezeichnet. Das bürgerliche
Handelsgremium ließ verkünden: Alle Gehilfen und
Lehrjungen, die sich zum Waffendienst anböten,
erhielten nicht nur ihren Gehalt weiter bezahlt,
sondern auch Uniform, Waffen und Löhnung. Da
drängten sich denn bald viele junge Leute in die
Wohnung des Vorstehers, nicht nur von patrio-
tischem Eifer getrieben, auch angelockt von der
Aussicht auf ein bunteres Leben, wies die Jugend
gerne träumt, wenn sie eingeschlossen in die Gleich-
förmigkeit von Schreibstuben oder Warenhäusern
ihre Tage abspinnen muß. Auch in den Werk-
stätten regte sichs voll Lust und Mut. Besonders
genannt werden uns die Seifensieder, die sich in
Mariahilf, die Drahtzieher, die sich auf dem Spittel-
berg eintragen ließen. Die Studenten, *die Schüler
der Kunstakademie bildeten besondere Korps.* — Die
ausrückenden Scharen kamen nur bis Kritzendorf;
da ereilte sie die Nachricht von dem ungünstigen
Frieden, der am 18. April abgeschlossen war. —

„Die Abneigung gegen Revolution und Franzosentum, die in diesen Tagen so energisch aufgelodert,
schwand in Wien auch nach diesem Frieden nicht.

Die aufgepflanzte Trikolore am Hause des französischen Gesandten Bernadotte wurde vom Balkon herabgerissen und zerfetzt. In den Salons der Wiener Vornehmen wurde Napoleon am kräftigsten gehaßt, fielen nach langer Zeit wieder Worte von den gemeinsamen Interessen aller Deutschen, besonders Österreichs und Preußens, von der Verpflichtung, „gemeinsam den gemeinsamen Feind zu bestehen". Deutsche Schriftsteller, wie Johannes von Müller oder Friedrich *Gentz* (ein Preuße, der 1802 in österreichische Dienste trat), schürten diesen Haß, diese Begeisterung. Der letztere schrieb in Wien die „Fragmente zur Geschichte des europäischen Gleichgewichts," eine der gewaltigsten Anklageschriften gegen Napoleon und sein System. Zwei Jahre später erfolgte, was viele schon längst befürchtet: *die Auflösung des Deutschen Reiches* (1805). Zwei Monate, vom 13. November bis 13. Januar, lagen französische Truppen in der Stadt; Napoleon wohnte in Schönbrunn, in der Hofburg zu Wien sein Minister Talleyrand. Die Kontribution war drückend, dazu Einquartierung und Verpflegung der fremden Truppen, Teuerung, Hungersnot, Krankheiten. Viele friedliche Bürger verdarben da in Elend und Not. Der Friede auch war hart genug.

Die Erhebung ging wieder von den geistigen Kreisen aus. „Im März 1808 erging eine Verordnung,

die die Hebung des *Buchhandels* zur Absicht hatte:
„weil er auf *Nationalbildung*, auf *Künste und Wissenschaften* einen so *mächtigen Einfluß* habe". Von
Österreichs Vergangenheit und seinen großen Männern
erzählte der junge *Hormayr*, aus einer alten Tiroler
Familie. — Zu Anfang 1809 war neuer Krieg mit
Napoleon entschieden. Was in früheren Jahren
immer nur vereinzelt und verspätet geschehen war,
wurde jetzt im großen Maßstab wieder aufgenommen: die Bewaffnung des Volkes selbst durch *Errichtung* der sog. *Landwehr*; Erzherzog Johann und
zwei Brüder der Kaiserin erhielten den Auftrag, sie
zu organisieren. Österreich bot niemals einen so
kriegerischen Anblick, wie jetzt. Fremde Reisende,
die nach Wien kamen, staunten; etwas Ähnliches
hatten sie nie gesehen. „Ist *dies die berüchtigte
Phäakenstadt?*" Der Kapellmeister Reichardt aus
Weimar findet, „man *müsse sich freuen, eben jetzt
mitten unter einer Nation zu sein*, die durch ein *hö-
heres Interesse aus einer Ruhe und Behaglichkeit* ge-
weckt wird, die man ihr so oft zum Nachteil an-
gerechnet hat". Trat man jetzt in die Salons der
vornehmen Damen, so sah man sie Charpie zupfen,
jede Frau, die hinzukam, mußte sich sofort an die
gleiche Arbeit machen. Bei den Diners und Soupers
sprachen sie nur von Politik, und zugleich mit den
Männern erhoben sie ihr Glas „auf die Befreiung

Deutschlands durch die Armee". Den Kavalieren, die sich nicht zum Kriegsdienst meldeten, drohten sie ihr Haus zu verbieten, Mädchen trieben ihre Verlobten, junge Frauen ihre Männer in die Armee, Knaben selbst litt es nicht zu Hause, sie verließen ihre Eltern, um dem Rufe des angebeteten Helden (Erzherzogs Karl) zu folgen. — Der Krieg nahm schnell eine unglückliche Wendung. Tiefe Trauer verbreitete sich in Wien bei dieser Kunde. Die französische Armee rückte wieder gegen Wien vor, sie drang in die Vorstädte ein. „Der Landsturm," schrieb ein Wiener damals in sein Tagebuch, „zeigt sich in voller Größe; alles ist bewaffnet, selbst Weiber und Mädchen haben Spieße und Hellebarden, und Buben laufen mit Gewehren herum.

Es kam der Tag von Aspern. „Die Erde bebte," berichtet ein Augenzeuge, „man sah den Rauch und Feuer von angezündeten Ortschaften. Ein Offizier rief aus, niemals habe er ein solches Morden gesehen; die Österreicher standen wie die Mauern und fochten wie die Löwen. Am 25. Mai kam die *Nachricht von dem Siege.* Hoffnung lebte wieder auf. Nach der Schlacht bei Wagram aber, da alles verloren schien, war auch die Kraft des Volkes gebrochen; man lebte dumpf die traurigen Tage dahin. Karoline Pichler (die bekannte Romanschriftstellerin) erzählt, ihr sei damals der Gedanke gekommen: hätten doch alle

Franzosen nur *einen* Kopf! und wie sie Napoleon einmal in der Nähe sieht, denkt sie daran, wie leicht ein
wohlgezielter Schuß alles Leid des Vaterlandes und der
Welt enden, alle Schmach rächen könnte. Dem alten
Vater des Dichters Grillparzer war jeder ihm begeg-
nender Franzose ein Dolchstich. Auf der Straße nahm
er bei jedem Zwist zwischen Franzosen und Bürgern
unerschrocken die Partei des Landsmannes, ein sehr
gefährlicher Mut. Die Schlacht von Wagram warf ihn
aufs Krankenlager. Der Wiener Friede (14. Oktober)
tötete ihn. Einen Tag, nachdem er von dessen Ab-
machungen erfahren, ist er gestorben."

*   *
*

Die erhebenden und die traurigen Erlebnisse dieser
Zeit ergaben die Grundstimmung für die folgenden
Jahrzehnte, bis zur Revolution 1848. Die finan-
ziellen Verluste hatten jene Vereinfachung der Lebensweise, des Stiles von Häusern, Möbeln, Geräten und
Kleidung zur Folge, welche das äußere Kennzeichen
der Epoche bildet. Aber die geistige Vertiefung
und der Kampf um politische und nationale Güter
führten zu einer starken, eigenartigen Äußerung in
den verschiedenen Künsten. Der Charakter aller
dieser Kunstprodukte ist deutsch, mit einer liebens-
würdigen Wiener Note.

9*

Am stärksten treffen all diese Kennzeichen in den früheren Werken *Schwinds* zusammen. Er ist am Fleischmarkt, in einem wunderhübschen Barockhaus, das noch heute steht und eine Gedenktafel trägt, 1804 geboren; später kauften seine Eltern das Haus „Zum goldenen Mondschein" hinter der Karlskirche, in damals noch ländlicher Gegend. Dort hat er eine glückliche, poesievolle Jugend verlebt, hat mit seinen Freunden, unter denen sich Schubert, Danhauser, Bauernfeld, der Sänger Vogl befanden, viel musiziert und phantasiert, auch viel getollt und getrunken. Seine Skizzen und Federzeichnungen aus dieser Zeit, deren viele auf der Schubert-Ausstellung 1897 neben einer stattlichen Kollektion seiner späteren Hauptwerke zu sehen waren, geben die ganze übermütig-geniale Stimmung jener Jugendtage wieder. Bald beginnt auch die schöne Weiblichkeit ihren Zauber auf sein empfängliches Gemüt auszuüben; er ist lebenslänglich ein Verkünder von Schönheit, Liebe und Treue geblieben. In den „Gesellschaftsspielen", den Schubert-Abenden, dem „Spaziergang", in vielen flotten Federskizzen und aquarellierten Blättern sind Wiener Lokalitäten und Personen festgehalten. Damals hatte Schwind noch eine mehr malerische, von der Wiener Farbenfreudigkeit beeinflußte Manier. Erst später gewöhnte er sich, zeichnend die Märchen und Sagenthemen vorzutragen und die Farbe

MORITZ v. SCHWIND, „SCHUBERT-ABEND BEI FREIHERRN VON SPAUN".

SEPIAZEICHNUNG. ENTHÄLT U. A. DIE PORTRÄTS VON LACHNER, SCHWIND, RIEDER, KUPELWIESER, FEUCHTERSLEBEN, GRILLPARZER, BAUERNFELD, CASTELLI.

nur zur Hebung der Wirkung in zarten Abstufungen — die freilich meist nur die Lokaltöne andeuten und sich wenig an die Natur halten — aufzusetzen.

Das Lebenswerk Schwinds gehört heute der ganzen Welt an; seit Jahren sind in Deutschland ausführliche Monographien erschienen, auf die ich hinweisen muß; nur sein Ursprung, sein Zusammenhang mit der Alt-Wiener Schule war zu betonen, zu erklären. Seine „Sieben Raben", „Ritter Kurts Brautfahrt", „Melusine" (im Wiener Hofmuseum), „Aschenbrödel," die Fresken in der Loggia der Wiener Hofoper, usw. sind in hunderten von Nachbildungen allbekannt geworden.

Eduard von *Steinle* (geb. zu Wien 1810, gest. zu Frankfurt 1886) studierte 1823—26 hier an der Akademie, heiratete 1834, verließ aber schon 37 die Vaterstadt, um in Deutschland eine zweite Heimat und einen weiten Wirkungskreis zu finden. Außer einigen Glasfenstern besitzen wir hier wenig von seiner Kunst. Dagegen hat Josef von *Führich* (geb. 1800 in Kratzau, Böhmen) hier bis zu seinem Tode 1876 gewirkt, von 1852 an als Professor an der Akademie. Er begann als Klassizist in Rom, wendete sich dann aber unter dem Einfluß Overbecks dem Studium der Frührenaissance zu und gilt neben Leopold Kupelwieser (1796—1862) als Haupt der Nazarener in Wien. Seine Fresken, u. a. in der

Alt-Lerchenfelder Kirche, seine schönen edlen Zeichnungen, Holzschnitte und Radierungen werden heute von neuem hochgeschätzt. Mit vollem Recht. Seine Schöpfungen haben eine Innigkeit, Feierlichkeit, stilistische Größe, wie sie nur bei den größten Meistern aller Zeiten anzutreffen ist. In dem hier abgebildeten Gemälde z. B., der „Begegnung Jakobs mit Rahel" ist die Verteilung der Gruppen mit so feinem Gefühl durchgeführt, wie es in neuerer Zeit sonst nur Feuerbach, von den Franzosen etwa Puvis de Chavannes vermochten. Von der steifen Kartonmanier des Cornelius weiß er sich ebenso fern zu halten, wie von den Kraftposen Rahls oder von der Süßlichkeit beliebter französischer Madonnenmaler, Bouguereaus etwa. — Ich glaube, daß ein tiefergehendes Studium von Führichs Vermächtnis eine dankbare Aufgabe wäre und auch für die künstlerischen Bestrebungen der neuesten Zeit starke Anregungen ergeben würde.

Noch wäre Scheffer von Leonhartshoff, von dem ein gutes Bild, „Die heilige Anna" auf der Berliner Jahrhundert-Ausstellung auffiel, zu nennen. Auch Johann *Ender* und *Franz Dobyaschofski* gehörten eine Zeitlang dieser Künstlergruppe an.

FRANZ EYBL: DIE SCHAUSPIELERIN WILDAUER ALS NANDL
IN DEM SINGSPIEL „DAS VERSPRECHEN HINTERM HERD" (1849).
KUNSTHISTORISCHES HOF-MUSEUM.

VI. KAPITEL

PORTRÄTISTEN UND LANDSCHAFTER

WIR begegnen auf diesen Gebieten vielen Künstlern, deren Eigenart schon in anderem Zusammenhange geschildert wurde. Wie Waldmüller, der auch als Porträtist und Landschaftsmaler in erster Reihe steht, haben die meisten Maler jener Zeit in mehreren Kunstfächern Tüchtiges geleistet. Von den Porträtisten wurden die bedeutendsten schon genannt. Lampi und Füger, sowie ihre Schüler, mit ihrer vornehmen, glatten von der repräsentativen Kunst des Rokoko, der strengen Linienführung des Empire oder der sympathisch warmen Manier der Engländer beeinflußten Kunstweise, machen einerseits den echt wienerisch-graziösen Miniaturisten, den Daffinger, Theer, Peter, Saar, sowie den vielbeschäftigen Lithographen Kriehuber und Prinzhofer, andererseits den strengeren, die Gegenwartskunst vorbereitenden Meistern wie Waldmüller und *Eybl* Platz. Von dem letzteren gibt es in Wiener Privatbesitz und in den verschiedenen Galerien (Hofmuseum, Akademie, Moderne Galerie) Bildnisse von einer so liebevoll eingehenden Charakteristik und so vollendeten technischen Meisterschaft, daß er in dieser Hinsicht neben Waldmüller zu stellen ist. Das hier abgebildete Porträt der einst beliebten Sängerin Wildauer, als Nandl im „Versprechen hinter'm Herd", ist eines seiner anmutigsten Werke.

Die mondäne Note hält vor allem *Amerling* (1803—87) fest; er trifft die Ähnlichkeit leicht, beherrscht Stoffe und sonstiges Beiwerk gewandt, verbindet das Ganze in nobler, gefälliger Weise. Eine besonders kräftige Eigenart ist ihm nicht nachzurühmen, doch sind einige seiner Werke, wie das famose Porträt des Fürsten Johannes Liechtenstein als Kind zu Pferde, das Gruppenbild der gräflichen Familie Breuner, die verschiedenen Versionen der „Orientalin" recht glanzvolle Leistungen. — Ein gleichfalls bei Hof und in der Gesellschaft überaus beliebter Porträtist war Georg *Decker*, aus einer großen Künstlerfamilie stammend. Ein Virtuose der Pinselführung, von liebenswürdigem Kolorit und besonders in den vielen kleinen Aquarellbildnissen von bezaubernder Anmut. In dieser Richtung schließen sich zahlreiche Maler an Amerling und Decker an, so Franz Schrotzberg (1811—89), von dem jenes schöne Bildnis der jugendlichen Kaiserin Elisabeth stammt, das in unseres Kaisers Arbeitszimmer hängt, Anton Einsle (1801—71), Georg Raab,

GEORG DECKER, PORTRÄT DER TANZERIN FANNI ELSSLER.

BES.: WALTER KARY, WIEN.

Lavos, Goebel, Ludwig Fischer, Gaupmann, Alois von Anreiter usw.

Auch von der in Wien mit größtem Eifer und besonderer Meisterschaft geübten Kunst der *Miniaturmalerei* war schon an mehreren Stellen (im 5. Kapitel des I. Teils und I. Kapitel des II.) die Rede. Nicht nur Porträts, auch Landschaften und Stadtansichten liebte man in diesem kleinen, nur durch die Lupe genießbaren Format; in allen Wohnzimmern fand man sie, entweder eingerahmt an den Wänden, oder in Kassetten, Portefeuilles, Albums, auf Schnupftabaksdosen, ja sogar auf den Kaffeetassen der Alt-Wiener Fabrik. Es war ein viel geübter Brauch, eine größere Anzahl derartiger Miniaturen, dazu einige skizzierte Blumen, Bleistiftzeichnungen und wohl auch gute kleine Kupfer- oder Stahlstiche in hübscher Gruppierung zu einem ,,Tableau'' zu vereinigen; solche ,,Quodlibets'' wurden gerne zu Geschenkzwecken verwendet. Auch die Familienalbums enthalten häufig derartige mit liebevoller Sorgfalt und viel Geschmack zusammengestellte ,,Potpourris''.

Die Namen der Wiener Miniaturisten anzuführen und ihre vielfachen Fähigkeiten zu schildern, würde wohl zu weit führen. Selbst in dem umfangreichen Miniaturenwerk, das vor mehreren Jahren als Ergebnis einer Ausstellung erschien (bei Artaria & Comp.), sind nur die künstlerisch bedeutendsten beschrieben. Die Grenzen zwischen Kunst und Gewerbe sind auf diesem Gebiet aufgehoben; und so wie in der Porzellan-Manufaktur eine ganze Schule von Miniaturisten herangezogen wurde, so haben auch die Drechsler und Pfeifenschneider, die Drucker und Stecher für ihren Bedarf selbst zum Pinsel gegriffen. Und ein ganzes Heer von Dilettanten wäre anzuschließen, denn von den Mitgliedern des Kaiserhauses angefangen bis zum kleinen Kaufmann oder Beamten hat damals fast jeder gemalt, gezeichnet, gestochen, radiert.

Die vornehmsten malerischen Errungenschaften des Auslandes waren schon während des 18. Jahrhunderts von Wiener Künstlern verarbeitet worden. Um die Wende des Jahrhunderts wurde der Austausch der Anregungen immer lebhafter. Österreichische Adlige ließen sich von Pariser und Londoner Miniaturisten malen; so der Graf Moriz Fries (in einem berühmt gewordenen Bildchen) von François Gérard. Als der Wiener Kongreß viele gekrönte Häupter und die Diplomaten aus aller Herren Ländern in der Donaustadt zusammenführte, kamen Sir Thomas Lawrence (im Auftrage des Regenten, nachmaligen Königs Georg IV.), dann der gefeierte Hofmaler Napoleons, Jean-Baptiste Isabey, nach Wien und entfalteten hier eine emsige und einträgliche Tätigkeit.

ALT-WIENER MEISTER (NAME UNBEKANNT).
FRAUENPORTRÄT. (Ca. 1840.)

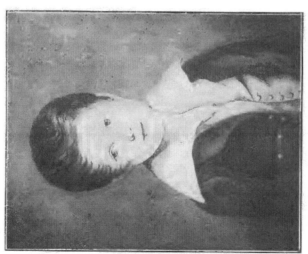

PETER FENDI, KNABENBILDNIS.

Trotz mancher deutlich erkennbaren Beeinflus-
sungen bewahren *Füger* und *Daffinger* in ihren Arbeiten eine ganz selbständige Haltung. Auf Fügers
Miniaturporträts trifft dasselbe zu, was früher von
seinen großen Ölbildnissen gesagt wurde. Eine vor-
nehme Größe in der Haltung, eine unnachahmliche
Zartheit und Leichtigkeit in der silberigen Gesamt-
stimmung zeichnen auch diese kleinen Werke des
Meisters aus. Antike Pose mit lebendiger Natür-
lichkeit zu vereinen, bei aller Zurückhaltung in der
Wahl der Farben doch — durch rote Untermalung
der Schatten — eine sympathische Wärme des Kolorits zu erzielen, den Hintergrund in lockerer Technik bloß nach dem Tonwert zu behandeln, das
vermochte unter allen Virtuosen dieses Faches nur
dieser Eine. — Viel wienerischer, bunter, mit einem
leichten Hang zum Süßlichen ist Moriz Michael
Daffinger (1790—1849). Dekolletierte Seidenroben,
Rosen im Lockenhaar, rote Damastvorhänge, Aus-
blicke auf blühende Gärten und tiefblauen Himmel
— diese Elemente vereinigen sich auf seinen Bildchen
zu einer Wirkung, die der Beschauer, selbst der
verwöhnte Kenner, mit dem unwillkürlichen Aus-
ruf: „Entzückend!" auszudrücken pflegt. Auch er
hat zu Hunderten bekannte Persönlichkeiten kon-
terfeit; die schöne Sammlung von kleinen Porträts,
die er im Auftrage des Reichskanzlers Fürsten

Metternich ausführte, ist seit einiger Zeit im 2. Stock-
werke des Hof-Museums der allgemeinen Besichti-
gung zugänglich. Eines dieser Aquarellbildchen ist
hier wiedergegeben.

Die Nachahmer und Nachfolger sind Legion. Von
den Daffinger-Schülern kommt der graziöse Robert
Theer dem Meister am nächsten; er malte der Generation von 1830 ihre Lieblinge, auch seine Brüder
Adolf und Albert haben manches hübsche Miniatur-
bild geliefert. Zu den von Sammlern hoch geschätzten Künstlern gehören noch Emanuel Peter und Karl
von Saar, deren Blütezeit gleichfalls in die zwei
Jahrzehnte vor der Revolution fällt. Daß Waldmüller,
Eybl und Fendi auch im kleinen Format vortreffliche Porträts schufen, wurde schon erwähnt. Einige
aus Deutschland eingewanderte Künstler, Karl Agri-
cola, Lieder, Leybold schließen sich im großen ganzen
der Manier der Wiener Schule an; auch Suchy, Anreiter, Rungaldier, der Grazer Zumsande seien genannt. Die Sitte der Miniaturbildnisse hielt noch
bis in die fünfziger Jahre an, und man findet aus
dieser Zeit noch manche reizvolle Arbeit. Aber —
wie alle anderen Künste — litt auch diese unter
den politischen Kämpfen, und als die Erfindung
Daguerres sich technisch immer brauchbarer entfaltete, wurden die Bestellungen künstlerischer
Bildnisse seltener, so daß von einem wichtigen

M. M. DAFFINGER
BILDNIS DER GRÄFIN ESZTERHÁZY.
AQUARELL-MINIATUR.
(AUS DEN SAMMLUNGEN DES FÜRSTEN METTERNICH.)

Kunstzweig mit reich entwickelter Tradition kaum schwache Spuren sich erhalten konnten.

* * *

Von den Landschaftern, deren Zahl überaus groß war, ist neben dem auch hier bahnbrechenden Waldmüller vor allem Friedrich *Gauermann* zu nennen. Wer ihn nur nach seinen großen ausgeführten Gemälden beurteilt, wie sie im Frühjahr bei Miethke zusammengestellt waren, wird den Künstler unrichtig beurteilen. Er mußte da nach dem Geschmack der ihn beschäftigenden hohen Herren eine glatte, bis ins minutiöseste ausgepinselte Arbeit liefern. Immerhin sind die vielen mit lebensvollen Szenen aus dem Hochgebirge, mit Hirten, Fischern, Jägern, mit Pferden, Kühen oder wilden Tieren staffierten Gemälde, besonders die Hirsch-, Eber- und Bärenjagden, hervorragende Leistungen. In den gezeichneten, getuschten, aquarellierten und Ölskizzen zeigt sich Gauermann als ein geistreicher, die Natur in allen Erscheinungsformen, zu allen Jahres- und Tageszeiten eifrig studierender Künstler, dem jede Technik nur so aus dem Handgelenk geht.

Die übrigen Landschafter sind gute, brave Maler, voll Liebe zur Natur, voll Eifer und Hingabe. Eine selbständigere, freie Auffassung, wie sie die

Franzosen und Engländer schon früh aufweisen, findet sich in Österreich — von Waldmüller abgesehen — nur in schüchternen Andeutungen. Gehen Steinfeld und Rudolf Toma, Feid und Fischbach, *Selleny* und Holzer mehr auf die treue Durchbildung des Details, Schödlberger und Karl Markó auf poetische Wirkung, so suchen andere, wie *Höger*, Raffalt, Georg *van Haanen* und Thomas *Ender* die gefällige Vedute. Diese Art der Landschaftsmalerei erfreute sich in der wanderlustigen Wiener Bevölkerung besonderer Beliebtheit; in Hunderten von kolorierten Stichen und Lithographien bewahrten die Wiener Familien ihre Lieblingsmotive. Aus dieser Richtung ging auch der schon früher ausführlicher gewürdigte Rudolf Alt hervor, der als Aquarellist durch seine freie und echt malerische Art, zu sehen, gerade in jüngster Zeit Bewunderung erweckt hat; die Sezession ernannte ihn bei ihrer Begründung zum Ehrenpräsidenten. Seine nach Hunderten zählenden aquarellierten Blätter werden von Galerien und Privatsammlern aufs eifrigste gesucht und hoch bezahlt. Ob er die stattlichen Plätze eines italienischen Ortes, die malerischen Winkel eines Gebirgsdorfes oder ein Motiv aus seinem geliebten Salzkammergut schildert, immer ist er von erquickender Frische und Farbigkeit, Naturtreue; bei aller Liebe zur charakteristischen Einzelheit, zum zitternden Blattwerk oder

M. M. DAFFINGER, JUGENDPORTRÄT
DES KAISERS FRANZ JOSEF I.
MINIATUR. BESITZER: S. MAJ. DER KAISER.

zum mannigfaltigen Zierat alter Häuser verliert er doch nie die Größe des Gesamteindrucks, den Duft der Ferne, den Geschmack in der Anordnung. Im Kunsthistorischen Hof-Museum und in der „Modernen Galerie" sind mehrere seiner besten Arbeiten aus verschiedenen Zeiten (er wurde über 80 Jahre alt und hat sich über 50 Jahre auf der Höhe gehalten) öffentlich zugänglich. Zwei davon, eine der vielen Ansichten der Stephanskirche und den „Platz am Hof" findet der Leser unter den Beilagen dieses Buches.

Über die Stellung dieser Alt-Wiener Landschafter und ihren Kampf mit der damals neu aufkommenden „Zimmermann-Schule" will ich die Äußerungen eines Gewährsmannes anführen, der selbst noch mit den meisten beteiligten Persönlichkeiten befreundet war, nämlich des vortrefflichen Landschafters August Schaeffer, der seit Jahren das Wiener Hofmuseum leitet. Schaeffer zählt zur eigentlichen Alt-Wiener Schule nur die vorher von mir genannten Landschaftsmaler und leitet mit der Lehrtätigkeit Albert Zimmermanns bereits eine neue Ära ein. „Vor Zimmermann erlosch die Alt-Wiener Schule der Landschaftsmalerei, welche in Thomas Ender, Josef Höger, Franz Steinfeld ihren Hauptausdruck gefunden hatte; auch den köstlichen Friedrich Gauermann zähle ich, als Landschafter genommen, noch hinzu,

denn er war ebenso bedeutsam in der Landschafts-
wie in der Tiermalerei. — Die erste Übergangs-
periode aus der alten Weise des 18. Jahrhunderts
zur späteren Realistik wurde schon durch die Maler
Mößmer, Schödelberger, Janscha und Molitor an-
gebahnt; sie reckten gleichsam die Hälse zur Er-
neuerung der Naturanschauung, aber erst Steinfeld
schoß die Bresche, und zwar mit Hilfe der in Holland
bei den Meistern des 17. Jahrhunderts gewonnenen
Erfahrungen. Von seiner Schule gehen die Maler
aus, welche gleichsam die verbindende Brücke zur
Zimmermann-Schule bilden, worunter ich (Schaeffer)
mir gestatte, auch meine Wenigkeit zu zählen.
Selleny, Novopacky, Seelos, Josef Holzer, Fritsch,
Halauska, Obermüllner usw. gingen ebenfalls aus
der Steinfeld-Schule hervor.

Diese letztere Gruppe hatte ihr Lebtag einen
schweren Stand, denn sie wurde gewissermaßen
zwischen zwei Perioden eingekeilt, die selbst so bedeutend waren, daß es nicht ganz umsichtigen Be-
urteilern schwer fallen mochte, auch der Mittelpartei
ihr Recht und ihre volle Geltung zuzugestehen. —
Kreuzungen pflegen in der Natur mannigfache Erscheinungen und oft bedeutsame Wirkungen hervor-
zubringen, und so geschah es auch durch den Ein-
tritt des Münchener Landschaftsmalers Albert
Zimmermann in die Wiener Akademie. Seine reifen

MOR. MICH. DAFFINGER,
BILDNIS DES HERZOGS VON REICHSTADT.

Fruchtkerne senkten sich in einen günstigen Boden, er fand Talente mannigfachsten Inhalts für seine glückliche Lehrmethode und veredelte die wilden Rosen zu Zentifolien erster Gattung. Zimmermann lehrte seine jungen Leute eine unfehlbare, wirkungsvolle Maltechnik und ließ, indem er ihnen dies Gut übermittelte, ihr Talent sich frei entwickeln. So entstanden Künstler von höchster Eigenart, ein Robert Ruß, ein Jakob Emil Schindler, der feinfühlige Eugen Jettel, Rudolf Ribarz, Tina Blau, Hlavacek u. a., von denen die zwei letztgenannten und Ruß noch unter uns wirken."

Zimmermann selbst, der auf eine monumentale Behandlung hinarbeitete und theatralische Effekte liebte, konnte dabei doch in der intimen Durchführung des Baumschlags, des Lufttons, fließenden Wassers den Landschafter alten Schlags nicht verleugnen. — Der originellste, beweglichste, modernste von allen Künstlern der jüngeren Generation ist der auch im Ausland hochgeschätzte August von *Pettenkofen* (1822—1889). Mit seinem Werdegang will ich mich im folgenden, letzten Kapitel eingehender beschäftigen, denn sein Werk schlägt ganz deutlich die Brücke von der Vergangenheit zur Gegenwart, von der Alt-Wiener Tradition zur Malerei der Modernen. — Auch J. E. Schindler, der bedeutendste Vertreter der österreichischen

215

Landschaftskunst, der bereits von der Fontainebleau-
Schule, besonders von Corot und Daubigny be-
einflußt erscheint, führt aus dem Rahmen dieses
Buches heraus.

VII. KAPITEL

PETTENKOFEN. ÜBERGÄNGE ZUR NEUZEIT

PETTENKOFEN ist, wie Menzel, von der Zeichnung für Illustrationen ausgegangen, wozu das früher geschilderte Wiener Kunstverlagswesen ihm reichlich Anregung und Aufträge bot. Auch er hat Uniformen studieren, Gamaschen, Knöpfe, Helme zu hunderten zeichnen müssen. Erst als er nach Ungarn kam, in die Tiefebene der Theiß, ging ihm sein eigenster Beruf auf. Was er dann später in seinen zahlreichen Zigeunerszenen, galizischen Pferdemärkten, venezianischen Motiven leistete, gehört schon auf ein anderes Blatt der Kunstgeschichte, zählt zu den ersten Erscheinungen des modernen Impressionimus. Licht, Luft, Sonne, der Dunst der Ebene, das grelle Nebeneinander bunter Trachten, Waren, Früchte, Blumen, das alles ist in seinen, meist in kleinem Format gehaltenen Bildern so meisterhaft, so rein malerisch gelöst, daß man ihn mit Recht zu den besten Modernen aller Nationen zählt.

10*

Auch im rein Menschlichen, in der Auffassung des Lebens und des Künstlerberufes überraschen uns bei Pettenkofen auf Schritt und Tritt moderne Züge, wie man sie etwa bei Liebermann schätzen gelernt hat. Sein ungewöhnlicher Lebenslauf erklärt zum Teil die vollständige Befreiung seiner Kunst vom Hergebrachten, Fachsimpelnden. — In der folgenden Darstellung von Pettenkofens Wesen und Werk folge ich den Mitteilungen, die Emerich Ranzoni 1889 in seinem Nekrolog (Allgem. Kunst-Chronik XIII, 7) über den Künstler gab, einem Artikel von C. v. Lützow, und einer Zusammenstellung der Werke, die über meine Veranlassung und unter meiner Mitwirkung der Kunstschriftsteller Friedrich Pollak unternahm, und die zum Teil in der leider allzu kurzlebigen Zeitschrift „Die Kunstwelt" 1904 erschien. Auch persönliche Erinnerungen von Freunden und Bekannten Pettenkofens, der Herren General v. Berres, Miller v. Aichholz, Kunsthändler Wawra sen., Hofrat Schaeffer, der Schwestern Müller usw., habe ich verarbeitet. Eine Monographie oder auch nur eine halbwegs ausführliche und verläßliche Zeitschriften-Publikation über diesen eminenten Künstler existiert bisher noch nicht. Der Kustos-Adjunkt am Hofmuseum, Herr Dr. Weixlgärtner, arbeitet im Auftrage des Unterrichtsministeriums an einer Pettenkofen-Biographie. Möge

FRIEDRICH GAUERMANN, „FUCHS UND ENTEN".
ÖLGEMÄLDE.
BES.: KUNSTSALON KERTZMAR, WIEN-MARIENBAD.

bis zum Erscheinen dieses Werkes die folgende Darstellung den Freunden und Verehrern des Meisters eine willkommene Aushilfe sein!

*   *   *

Am 10. Mai 1822 wurde August von Pettenkofen in Wien geboren. Die Familie v. Pettenkoffer (erst später nahm der Künstler die Änderung des Namens vor) war damals reich begütert und in den Wiener Adels- und Militärkreisen sehr angesehen. Auf den ausgedehnten Besitzungen seines Vaters in Galizien verbringt der begabte Junge herrliche Kinderjahre in der freien Natur, im Umgang mit einfachen Menschen, viel zu Pferde. — Früh entwickelt sich der Hang zu einer ungebundenen Lebensweise, weitet sich sein Blick in den fruchtreichen endlosen Ebenen, und heimlich nisten sich die melancholischen Stimmungen in seinem Herzen fest, die ihn zeitlebens — auch in anderen Ländern — denselben Moll-Grundton suchen ließen. — Übereinstimmend berichten mehrere Gewährsmänner, daß der Knabe schon mit 12 Jahren an der Wiener Akademie im Zeichnen hospitierte, verbürgt ist, daß er bald nachher, von 1837 bis 1840, einer der fleißigsten Schüler des strengen Meisters Kupelwieser war, und später bei dem nachmaligen Kustos am

Belvedere, dem in diesem Buch mehrfach erwähnten Maler Franz Eybl, die Technik des Lithographierens gründlich erlernte. Auch als er über Wunsch seines Onkels, eines Kavallerie-Obersten, als Kadett in ein Dragoner-Regiment eintrat, hat er seine künstlerischen Übungen fortgesetzt, besonders an Mannschaft, Uniformen, Pferden unablässig seine Studien gemacht, obwohl er damals noch nicht an eine berufsmäßige Ausübung seines Talentes dachte. Aus jener fünfjährigen Militärzeit stammt wohl seine große Vertrautheit mit allen Einzelheiten des Soldatenlebens, die man in gleichem Maße kaum bei Meissonier oder Menzel findet. Besonders als Pferdemaler übertraf er nicht nur die zeitgenössischen Maler, wie Straßgschwandtner, sondern auch die gesuchtesten späteren Schlachten- oder Sportmaler, die entweder auf eine wirkungsvolle Pose oder auf glatte Eleganz losgingen, während er sozusagen die Seele des Pferdes ergründete, seine Treue und Ausdauer, seinen Mut, seine Leiden. —

Als Soldat mußte Pettenkofen auch nach dem aufständigen Ungarn ziehen. Während seine Kameraden über die Anstrengungen der Tagesmärsche, über Hitze, Staub, unbequeme Bequartierung fluchten, beobachtete er das Flimmern der Sonne auf den Feldern, den bunten Reiz der kleinen Ortschaften mit niedrigen weißen Häusern, kleinen

GEORG VAN HAANEN, FLUSSLANDSCHAFT.
PRIVATBESITZ.

Vorgärten, gelbem Kukurutz (Maiskolben) unter den vorspringenden Dächern. Viele seiner besten Bilder hat er später aus solchen Elementen geschaffen. Doch davon nachher. Während der junge Offizier mit seiner Truppe in Italien stand, traf ihn die Nachricht, daß sein Vater das Vermögen eingebüßt habe, und er von nun an darauf angewiesen sei, sich allein den Unterhalt zu erwerben. Die Entscheidung war leicht getroffen. In jener Zeit waren lithographierte Darstellungen aus dem bewegten Soldatenleben gerade in Mode gekommen. Sogar ein Franzose, Raffet, hatte sich mit österreichischen Motiven aus Ungarn und Italien eingestellt, und der Wiener Straßgschwandtner, der sich mit den lithographierten Folgen „Pferdelaunen und Reiseabenteuer" gut eingeführt hatte, folgte dieser Spur. So beschloß denn Pettenkofen, sein Talent auch auf diesem Gebiete zu verwerten, und trat mit mehreren jungen Künstlern, sowie mit den Verlegern A. Leykum, L. T. Neumann und Trentsentsky in Verbindung.

Zuerst sehen wir den Künstler 1847 neben Schwind und Johann Nep. Geiger als Illustrator von Dullers „Erzherzog Carl". Im nächsten Jahre folgten 24 lithographierte Folioblätter „Das Kaiserliche und Königliche Militär" und 1849 die „Szenen aus der Ehrenhalle des K. u. K. Fuhrwesenkorps". Im

Revolutionsjahre finden wir ihn auch als Karikaturen-Zeichner in Flugschriften und Witzblättern, meist unter Pseudonymen, wie Bettinghofen, Mayer, Rotmayer usw. In einer Ankündigung des „Kobold" sind diese Decknamen gelüftet. — Er soll damals mit dem einst beliebten Stillebenmaler Briori ein gemeinsames Atelier in einem Hause der Vorstadt Wieden bewohnt und sich als liebenswürdiger, geselliger Charakter gezeigt haben, während er später bekanntlich ein „menschenscheuer Sonderling" wurde. Augenzeugen schildern ihn als einen schlanken eleganten Mann von blühender Gesundheit, mit hellblauen, scharfen Augen. Leider existieren keine authentischen Bildnisse von ihm aus jener Zeit. Ein hübsches Ölbild, im Besitze des Herrn Dr. jur. Richard Kulka, wird von zahlreichen Bekannten Pettenkofens mit Bestimmtheit als ein Jugendporträt des Künstlers bezeichnet; es stammt aus dem Jahre 1849, ist eine gute Arbeit des Wiener Malers *Wilhelm Richter* und wurde, wie die Bezeichnung des Bildes besagt, in Mailand gemalt, wo Pettenkofen damals zeitweilig für sein erwähntes Lithographien-Werk, die „Ehrenhalle", gearbeitet hat.

Eine genaue Zusammenstellung der lithographierten Blätter würde hier zu weit führen. Eine Kollektion von ca. 160 Nummern, früher im Besitze von Fritz Flesch, ist vor mehreren Jahren in die

A. v. *PETTENKOFEN*, „MARKT IN SZOLNOK".
ÖLSTUDIE IN PRIVATBESITZ.

Sammlung Dr. Heymann übergegangen, wo sich jetzt eine vorzügliche Übersicht über die erste Periode des Meisters gewinnen läßt. Auch mehrere aquarellierte Vorstudien für die großen Lithographien finden sich dort, so die vorzüglichen Blätter „Verwundeten-Transport", „Russisches Lager an der Theiß", „Der tapfere Tambour", „Der mitleidige Soldat", „Durchgehende Vorspannpferde" (aus einer Folge, die P. mit Straßgschwandtner herausgegeben hat), ferner einige famose Bleistiftzeichnungen. Auch das Ölbild „Erzherzog Franz Josef in Italien" (in der Sammlung Dr. Albert Figdor), das unseren Kaiser im 16. Jahre zu Pferde mit seinem Adjutanten zeigt, war als Vorlage zu einer Lithographie angefertigt.

Gerade diese Jugendwerke Pettenkofens verdienen der Vergessenheit entrissen zu werden. Wenn auch die an späteren Werken so verblüffend wirkenden Eigenheiten, die Behandlung von Luft und Licht, begreiflicherweise in den Lithographien noch nicht bemerkbar sind (auch nicht in den farbigen), so ist die Gewandtheit der Zeichnung, das blitzartige Erfassen der Bewegungsmotive bei Menschen und Pferden, sowie die große Kenntniss des Details doch ein Teil der großen Meisterschaft; der Künstler erreicht in einzelnen Blättern schon die großen französischen Vorbilder, Gavarni und Daumier, und der Vergleich mit Menzel oder Meissonier drängt sich

oftmals auf. Ganz eigenartig ist schon damals seine
Auffassung von Leben und Geschehen, die jenseits
aller Heroenverehrung alle Dinge mit gleicher Liebe
und Eindringlichkeit erfaßt.

Dieser große Zug künstlerischer Gerechtigkeit, ge-
paart mit dem Bestreben, alles nur so zu geben, wie
der Künstler selbst es sah, ohne Anlehnung an ältere oder neuere Vorbilder, ohne Galerieton, ohne
Rücksicht auf Verständlichkeit, — diese Elemente
haben in der späteren Schaffensperiode Pettenkofens
sich in bewundernswerter Weise zu ganz eigenartigen, modernen Kunstwerken verdichtet. Während
rings um ihn die vom Volke bejubelten und von
der Aristokratie favorisierten Künstler eine Stilmode
nach der andern mitmachten, von der Nachempfin-
dung der deutschen Renaissance zur italienischen
und zum Barock übergingen, Riesenschwarten historischen und mythologischen Charakters schufen,
die heute niemand mehr mag, trotzdem sie viel
geniale Kraft, viele koloristische Feinheiten enthalten — die Namen *Makart* und *Canon* brauche
ich wohl nicht erst zu nennen! — behielt Pettenkofen zeitlebens den Kontakt mit Natur und
Leben. Er suchte *Menschen* und mied die *Gesellschaft*, darum hieß man ihn menschenscheu. Er
scheute die Versuchung durch Schlagworte und Ge-
schmacksverirrungen; darum nannte man ihn einen

Sonderling. Wurde er zum Reden gezwungen, so gab er geistvoll seine Ansichten zu hören und fällte scharfe, von den Kollegen gefürchtete Urteile. Deshalb hatte er nur einen kleinen Kreis in Wien. Vor allem seinen Kunsthändler, den alten Plach; ein Original, ein Mann, der sich aus der niedrigsten Stellung emporgearbeitet hatte, wenig Bildung aber einen sicheren Blick für Kunstwerte hatte. Im Laden dieses Händlers trafen die Pettenkofen-Freunde zusammen: Miller v. Aichholz, General v. Berres, der Sammler Mayer; auch der Orientmaler K. Leopold Müller und seine Schwestern gehörten zum Anhang des Künstlers.

Mit dem Jahre 1853 beginnt Pettenkofen in Ölbildern — die fast durchweg in kleinem Format gehalten sind — die Welt zu schildern; seine Welt: die melancholische Ebene, das Leben des kleinen Mannes, des Soldaten, des Handwerkers oder des ganz Enterbten, des Zigeuners. Wie in unseren Tagen Gauguin, der Abgott der Modernsten, in den Farben und Bewegungen der „Tahitiens" jene Klarheit, Unschuld, Harmonie fand, die ihn von allen Schrecken der Konvention befreien sollten, so flüchtete Pettenkofen immer wieder zu den sonngebräunten Zigeunern der Puszta oder zu den Landbewohnern Oberitaliens.

So führen im Schaffen dieses Künstlers die Fäden

aus der schlichten, fleißigen Arbeitsweise der Bieder-
meierzeit in die allem Stilprunk abholde Kunst der
neuesten Zeit. Seine späteren Werke selbst zu
schildern, ist nicht mehr die Aufgabe unseres Buches.
Sie zählen nach Hunderten. Neben den öffentlichen
Sammlungen, dem Hofmuseum, der Modernen und der
akademischen Galerie haben sich einige feinsinnige
Privatsammler größere Kollektionen von Bildern
Pettenkofens angelegt; außer den schon genannten
Herren Dr. Heymann, Miller v. Aichholz wären be-
sonders Lobmeyr, Franz Xaver Mayer, Thorsch,
Baron Rothschild, Reichert, Dr. Eißler in dieser
Hinsicht zu nennen. Die Berliner Jahrhundert-
Ausstellung enthielt über 30 Werke dieses großen
Künstlers; auch aus Budapest, Berlin, Magdeburg,
Halle, München waren welche eingesendet worden;
in Paris wurde Pettenkofen schon lange geschätzt,
und in neuerer Zeit haben auch amerikanische
Sammler ihn entdeckt. — Der Ruf seiner Künstler-
schaft und die Wertschätzung seiner Bilder wird
im Laufe der Jahre gewiß noch bedeutend steigen,
ist dieser Künstler doch auch in technischer Hinsicht von bewundernswerter Gewissenhaftigkeit, —
　　　Gegensatz zu seinen berühmten Zeitgenossen!
Er hat nur dauerhafte, echte Farben verwendet,
die Pozzuoli-Erde z. B. hat er sich immer selbst
aus Italien mitgebracht. Gerade die Sparsamkeit

A. v. *PETTENKOFEN*, „UNGARISCHER BAUERNHOF“.

ÖLGEMÄLDE IN PRIVATBESITZ.

an Tönen gibt seinen Bildern den feinen Reiz dis-
kreter Harmonie: gebrannte und ungebrannte Siena,
Weiß und Ultramarin bilden seine Palette; das ein-
tönige Gelb der Ebene, das Gelbbraun der stroh-
gedeckten Hütten, die Hautfarbe der Zigeuner, das
glänzende Braun der Pferde, die dunklen Tinten
schummriger Innenräume variieren den einen Ton
im Dreiklang; dazu tritt gewöhnlich das lebhafte
Blau in den Gewändern und im Himmel, ferner ab
und zu die Nuancen grünen Laubes und endlich
in sparsamer Verwendung die weißen Lichter, — aus
dieser monoton scheinenden Tonskala hat der Künstler
eine unendliche Fülle feiner Melodien geschaffen.

Ein deutscher Beurteiler, Privatdozent Dr. Haack
(Erlangen), urteilt in seinem Buche „Die Kunst des
19. Jahrhunderts" nach den Eindrücken der Berliner Ausstellung: „Der bedeutendste österreichische
Maler jener Generation war ohne Zweifel der große
August von Pettenkofen. Er verdient mit Meissonier
und Menzel verglichen zu werden. Diese malten
ihre militärischen Bilder vom patriotisch geschicht-
lichen Standpunkt aus. Sie ließen darin gern —
jener den großen Kaiser der Franzosen, dieser den
großen Preußenkönig erscheinen. Pettenkofen ließ
den Subalternoffizier oder den gemeinen Mann auf-
marschieren. — Er hat voll schlichter menschlicher
Anteilnahme dem Schuster und Schneider in die

Werkstatt geschaut und gelegentlich Spitzwegsche Töne angeschlagen. — Immer hat er sich als ein glänzender Maler erwiesen, der geschichtliche und kostümliche Treue sehr wohl mit einem hochentwickelten Sinn für Farben- und Lichtstimmungen zu vereinigen wußte. Er hat Probleme wie Manet und die Meister von Barbizon aufgegriffen, und sein feines Silbergrau erinnert gelegentlich geradezu an Velasquez. Es ist prachtvoll, wie Mann und Roß und Gerät auf seinen Bildern im Raum stehen, und wie sie von Luft und Licht umflossen sind. Dabei opferte der gewissenhafte Künstler dem flüchtigen Reiz der Erscheinung niemals den konstruktiven Aufbau des menschlichen und tierischen Organismus auf. Das August v. Pettenkofen-Kabinett der Berliner Jahrhundert-Ausstellung gehörte zu den Räumen, in denen der Beschauer den reinsten und ungetrübtesten Genuß empfand. Seine Bilder vermögen auch dem in rein malerischer Beziehung so verwöhnten Auge des Menschen der Gegenwart voll zu genügen.''

Diesem eminenten Lob will ich zum Schluß nur noch ein bezeichnendes persönliches Moment anfügen: Pettenkofens Lieblingsdichtungen, die er stets mit sich führte, waren der ,,Faust'' und ,,Hamlet''. Sein Lieblingswort war Fausts ,,Wo fass' ich dich, unendliche Natur?!''

Und mit dieser kurzen Charakteristik des modernsten Alt-Wieners will ich diese kunstgeschichtliche Studie schließen. Es war meine Absicht, ein möglichst geschlossenes Bild einer fest umgrenzten Stil-Epoche zu geben. Manche wichtigen Anregungen führen aus jener Zeit in die freiere, aber verworrene, allen internationalen Einflüssen zugängliche Gegenwart. In dem heutigen Wien, der Zweimillionenstadt, sind aus der übergroßen Menge eingewanderter und ständig wechselnder Elemente die Erben der Alt-Wiener Kultur kaum herauszufinden. Eine kleine Gruppe von Künstlern und Dichtern, sowie von Kunstfreunden hat die Pflege des wertvollen Vermächtnisses auf ihre Fahne geschrieben. Ihnen möchte ich, ohne darum den ,,laudator temporis acti'' zu spielen, mit diesem Buche und der ganzen Tendenz meines Wirkens mich als eifriger Genosse anschließen.

ILLUSTRATIONSVERZEICHNIS

I. TEIL

II. TEIL

ANMERKUNGEN ZU DEN BILDERN.

Bei der Auswahl der zur Illustrierung der verschiedenen Kunst-
richtungen dem Buche beigegebenen Abbildungen wurde in erster
Linie danach getrachtet, möglichst charakteristische Proben zu geben
und zugleich die künstlerisch wertvollsten Arbeiten vorzuführen.
Der Autor war aber auch bemüht, eine größere Anzahl *bisher noch
unpublizierter Kunstwerke* heranzuziehen; so wurde es vermieden,
Gemälde zu reproduzieren, die in der Berliner Jahrhundert - Ausstellung ohnehin einem großen Teil der Kunstinteressenten bekannt
geworden sind und in den Werken über diese Ausstellung nach-
gesehen werden können.

In diesem Bestreben wurde der Autor von Museumsdirektoren
und privaten Sammlern in der liebenswürdigsten Weise unterstützt,
Aus dem Besitze des Kaiserhauses bringt das Buch eine größere
Anzahl von bisher nicht reproduzierten *Neu-Erwerbungen:* den "Säe-
mann" von P. *Fendi*, eine der bedeutendsten Arbeiten des Künstlers
(Titelbild); das wundervolle Frauenporträt von H. F. *Füger*, (Titelbild
des zweiten Teils); das köstliche Soldatenbild von Karl *Schindler*,
das Herr Hofrat Schaeffer vor zwei Jahren aus der Baron Königs-
warterschen Sammlung erwarb; *Waldmüllers* „Holzsammler" (eine
Widmung des regierenden Fürsten Liechtenstein) und das feine Porträt der Erzherzogin Maria Christine von *Zoffany* wurden neu aufgenommen, ebenso das vor kurzem aus der prächtigen Salcherschen
Sammlung erworbene graziöse Werk von Eybl, das Porträt der einst
so beliebten Schauspielerin Wildauer. Mathilde W., geb. Wien 1820,

gest. 1878, ist der älteren Generation noch in bester Erinnerung. Eine reizende, lebenslustige Blondine, — die „Wienerwald-Blume" nannte man sie — war die W. in den Jahren 1840—50 der Liebling des Burgtheaters-Publikums, eine Vorläuferin der Kathi Schratt. Besonders in der Rolle der „Nandl" bot sie eine erquickende Original-Leistung; ihretwegen hatte Heinrich Laube das „Versprechen hinterm Herd" hoffähig gemacht und ins Repertoire des Burgtheaters aufgenommen. Später ging sie zur Oper und feierte da gleichfalls Triumphe. — Als „Nandl" hat sie auch Kriehuber lithographiert (1849); doch ist das hier abgebildete Porträt Eybls eine viel reifere Kunstleistung. — Ein hübsches Gegenstück dazu bildet Georg Deckers entzückendes Porträt der weltberühmten Tänzerin Fanni Elßler (1810—84) aus dem Jahre 1847 in dem von ihr „kreïrten" changeant-seidenen Gesellschaftskleid.

Auch ein in der „Modernen Galerie" befindliches Gemälde, Waldmüllers farbenfrisches und brillant aufgebautes „Stilleben" (gleichfalls aus der Salcherschen Kunstsammlung erworben) erscheint hier zum erstenmal publiziert. Ferner ein ausgezeichnetes Werk von Lampi d. Ä. aus dem Jahre 1824, das im Badener städtischen Rollett-Museum hängt und dort zu wenig beachtet wird. Für diese Abbildung und die nach Daffingers „Herzog von Reichstadt" sagt der Autor der Stadtgemeinde Baden und dem Herrn Schriftsteller Paul Tausig — für die freundliche Intervention — besten Dank. — Auch mehreren Privatsammlern, Herren Dr. Horace Landau, Dr. Königstein usw., die ihre Bilder für unsere Zwecke aufnehmen ließen (einige dieser Aufnahmen wurden von dem Amateur Herrn Dr. Richard Kulka hergestellt), ferner den Firmen Friedrich Schwarz, Gilhofer & Ranschburg, G. Steiner und A. Stöckl für Überlassung einiger Abbildungen aus den aufgelösten Sammlungen des Fürsten Metternich (Daffinger), des Barons Königswarter (Pettenkofen und Rudolf v. Alt), des Hofschauspielers Krastl (Wigand) usw. muß

11*

ich für ihre Freundlichkeit danken. Die meisten dieser schönen Gemälde sind nach kurzer Schaustellung wieder in die Verborgenheit des Privatbesitzes zurückgekehrt. Daß alle ins Buch aufgenommenen Gemälde nachweisbar sichere Werke der betreffenden Meister sind, sei hier besonders betont. Eine Ausnahme bilden die Aquarell-Miniatur von Füger (S. 78) und das Knabenbildnis von Fendi (S. 138), hübsche, für die Zeit charakteristische Arbeiten, die aber nur „traditionell" diesen Malern zugeschrieben werden. — Endlich wären als erstmalige Publikationen zu nennen: der vorzügliche Gauermann und die Wiedergabe eines Gemäldes „Kuppelsaal der Hofbibliothek", das der Künstler, Herr Karl Probst, freundlichst zur Verfügung gestellt hat.

Daß einige geradezu typische Werke, wie Schwinds „Schubert-Abend", Waldmüllers „Nikolo" und „Hochzeit", Führichs „Begegnung" und Danhausers „Brautwerbung" auch hier als Beispiele herangezogen wurden, trotzdem sie bereits in einigen Werken abgebildet sind, bedarf wohl keiner besonderen Erklärung. — Die Abbildungen sollten überhaupt nur das Verständnis des Textes erleichtern. Ein Bilderbuch zusammenzustellen, wie es heute üblich ist, war nicht meine Absicht.   L. W. A.

NAMEN- UND SACHREGISTER

(A = Architekt, B = Bildhauer, M = Maler, Min. M = Miniaturmaler, Abb. = Abbildung)

Die Kunst
Sammlung illustrierter Monographien

Herausgegeben von RICHARD MUTHER

Fortsetzung auf nächster Seite!

Marquardt & Co., Verlagsanstalt G. m. b. H., Berlin W. 50

Die Kunst Sammlung illustrierter Monographien

Herausgegeben von RICHARD MUTHER

Weitere Bände in Vorbereitung.

Jeder Band, in künstler. Ausstattung mit zahlreichen Illustrationen, Faksimiles, Porträts usw., kart. à M. 1.50, in Ganzleder geb. à M. 3.—, Doppelbände à M. 3.—, in Ganzleder geb. à M. 5.—

Marquardt & Co., Verlagsanstalt G. m. b. H., Berlin W. 50

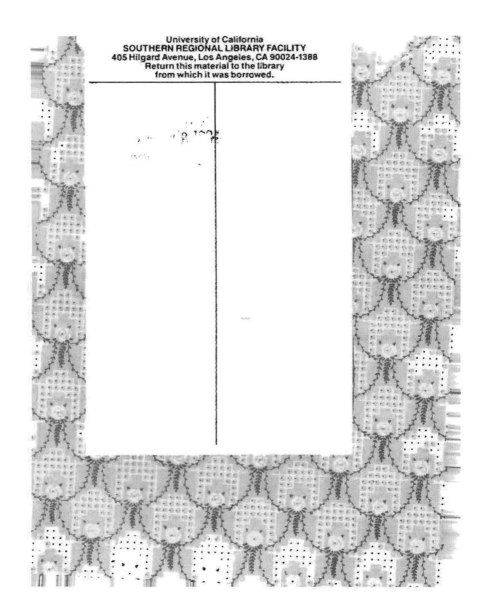

Druck:
Customized Business Services GmbH
im Auftrag der KNV-Gruppe
Ferdinand-Jühlke-Str. 7
99095 Erfurt